Bettina Münch

Ich will alles

Bettina Münch

Ich will alles

Glücklich mit Kind, Job und Partner

Wolfgang Krüger Verlag

Für Wolfgang und Lea

Gesamtherstellung: Clausen & Bosse, Leck
Printed in Germany 2000
ISBN 3-8105-0283-3

Danksagung

Großen Dank an all jene Frauen, die mir bereitwillig Auskunft darüber gaben, wie sie ihr Leben meistern. Ohne ihre Offenheit wäre dieses Buch nicht entstanden.

Mindestens 100 Tassen Cappuccino schulde ich meiner Freundin und Mentorin Dr. Dorothea Geissler, die meine Arbeit als wissenschaftliche Beraterin begleitete und mich außerdem das Teetrinken lehrte.

Und »last, but not least« ein Dankeschön und mehr an meine Mutter und Schwiegereltern, die dafür sorgen, daß ich mir den Weg ins Arbeitszimmer nicht freischießen muß, sondern ihn immer unbeschwert gehen kann.

Inhalt

Zu diesem Buch 11

1. Kapitel: **Zwischen allen Stühlen – Frauen in Beruf und Gesellschaft** 16
Der veränderte Lebenslauf 17
Frauen in Beruf und Familie 19
Die unsichtbaren Kinder 22
Die Qual der »Wahl« 25

2. Kapitel: **Das Bild von der »guten Mutter« – Der Kampf gegen die eigenen Klischees** 29
Die Bilder in unseren Köpfen 30
Frauenarbeit und Mutterschaft früher 32
Die Entstehung des bürgerlichen Familienideals 32
Der Weg zum heutigen Mutterbild 34
Alter Wein in neuen Schläuchen 36
Alles unter Kontrolle 38
Was braucht mein Kind? 40
Und was brauche ich? 42

3. Kapitel: **Will ich – will ich nicht? – Wie ein Kinderwunsch entsteht** 45
Kinder – nein danke! 45
Der Weg zum ersten Kind 46
Der Kinderwunsch des Mannes 48
Anleitung zum Alleinerziehen 51
Was können Sie tun? 56

4. Kapitel: **Jetzt wird es ernst –**
Vorbereitungen während der Schwangerschaft 58
Lassen Sie die Köpfe rauchen 58
Was sagen die anderen? 60
Wie sag ich's meinem Chef? 62
Wie sagt er's seinem Chef? 64

5. Kapitel: **Wie kriege ich es hin? –**
Schritt für Schritt zum passenden Familienfahrplan . . 69
Wichtig: Der Partner und das Umfeld 70
Lernen, Hilfe anzunehmen 74
Weiterarbeit oder Babypause? 80
Das passende Arbeitszeitmodell 82
Die innere Einstellung zur Arbeit verändert sich 88
»Wie hast du's mit der Kinderbetreuung?« 90
Und wo bleiben die Väter? 100
Wie regeln wir den Haushalt? 101

6. Kapitel: **Nachwehen –**
Wissenswertes über den »Babyblues« 110
Ahnungslos in Wolkenkuckucksheim 112
Muttermythos als Gefühlsfalle 113
Superfrau, Supermutter, Superkind 113
Kinder als Beziehungssprengstoff 115
Den richtigen Zeitpunkt gibt es nicht 116
Allen geht es ähnlich, aber keine spricht es aus 117
Ist mein Frust normal? 118

7. Kapitel: **Partnerschaft – So wichtig wie noch nie!** 121
Die schleichende Veränderung 122
Wo Paare der Schuh drückt 124
Das Kuchenstück wird kleiner 126
Klassische Muster melden sich zurück 127
Die drei Phasen der Veränderung 130
Partnerschaft ist eine Sache der Einstellung 131
Nur gute Partner sind gute Eltern 136

8. Kapitel: **Das kleine Einmaleins der Beziehungspflege** . . . 139
Zeit für die Partnerschaft gewinnen . . . 139
Die Partnerschaft gestalten . . . 143
Zueinanderfinden . . . 144
Der freie Abend . . . 145
Urlaub ohne Kind . . . 146
Urlaub mit dem Babysitter . . . 147
Sex . . . 147

9. Kapitel: **Und was ist mit mir? – Lernen Sie, Sie selbst zu bleiben** . . . 152
Vorsicht vor der weiblichen Aufopferungsfalle . . . 152
Männer wissen, was gut für sie ist . . . 154
Umgang mit Problemen . . . 154
Zuviel Verzicht ist ungesund . . . 156
Pflegen Sie sich! . . . 158
Ich bin ich – auch ohne Kind . . . 159

10. Kapitel: **Aus eins mach zwei, mach ...? – Pro und contra weitere Kinder** . . . 162
NEIN zum zweiten Kind . . . 163
JA zum zweiten Kind . . . 167
Das Genußkind . . . 168

11. Kapitel: **Was sich verändert – Neue Anforderungen durch das Kind** . . . 173
Das neue Selbstwertgefühl . . . 173
Gesellschaftliche Reaktionen auf die Mutterschaft . . . 179
Umgang mit Vorurteilen und Schuldgefühlen . . . 180
Zu guter Letzt . . . 182

Anmerkungen . . . 185
Quellen . . . 188
Lesetips . . . 189
Nützliche Adressen . . . 190

Zu diesem Buch

Auf die Situation der Schwangerschaft war ich einfach nicht vorbereitet, weil es in meinem ganzen Leben nie Thema gewesen war. Ich habe mich emotional nie darauf eingestellt. Mein Lebenskonzept ist einfach zusammengebrochen, obwohl ich das Kind wollte. Ich war nicht vorbereitet, hatte kein Modell dafür. Ich habe es mir zwar gewünscht, aber als es dann soweit war, hatte ich alles, was ich vorher unter Kontrolle hatte, nicht mehr unter Kontrolle. Auch davor hatte ich Angst. Es hat ja im Endeffekt alles gut geklappt, aber ich hatte doch Angst, daß mir der Boden unter den Füßen weggezogen wird. Und ich fühlte mich sehr ausgeliefert. *(Johanna, 38, Grafikerin*)*

Als meine Tochter vier Monate alt war, nahm ich als Übersetzerin an einer Podiumsdiskussion teil. Bei der Vorstellungsrunde erwähnte die Moderatorin neben meinem beruflichen Hintergrund auch die Tatsache, daß ich jetzt Mutter einer Tochter sei – und siehe da: Gleich nach dem Ende der Debatte kamen etliche junge Frauen auf mich zu, nicht, weil sie Fragen zu meinem Beruf hatten, sondern weil sie wissen wollten, wie ich Beruf und Kind unter einen Hut bringe. Das gleiche erlebte ich kurz darauf auf einem Fortbildungsseminar. Wo immer ich beruflich engagierten jungen Frauen mit einem Kinderwunsch oder mit einem kleinen Kind begegne, werde ich über kurz oder lang gefragt: »Und? Wie machst du es?« Ich erkannte, wie groß die Isolation und der Informationsnotstand junger Frauen in Sachen lebbarer Vereinbarkeitsmodelle wirklich sind. Ängste und Unsicherheit, wie Johanna sie im Eingangszitat beschreibt, sind die logische Folge davon.

Bisher hatte ich das Gefühl der Vereinzelung für mein Privat-

* Zur Wahrung der Privatsphäre wurden alle Namen und einige Details von der Autorin geändert.

problem gehalten, gedacht, es liege an meiner »Sonderform« der Freiberuflichkeit. Aber das ist ein Trugschluß. In Gesprächen mit den verschiedensten berufstätigen Frauen, Angestellten wie Selbständigen, Auszubildenden und Geschäftsführerinnen, erfuhr ich immer wieder von den gleichen Problemen.

> Ich wußte einfach nicht, wie das ist mit Kind, was man da regeln muß. So was kriegt man bei all der Flut, die man lernt, überhaupt nicht vermittelt, was übrigens ein Manko ist. Ich hätte gerne hinterher ein Buch geschrieben: »Wie sage ich einer Frau, die zum ersten Mal ein Kind kriegt, was sie lassen kann und soll und wen sie vielleicht auch fragen kann?« Das ist wirklich eine Lücke: Man kriegt viele Informationen, aber nicht die richtigen. *(Carolin, 36, Geschäftsführerin)*

Natürlich wissen die meisten Frauen, welche Arten von Kinderbetreuung es gibt, daß sie Anspruch auf Erziehungsurlaub haben und mit ihrem Arbeitgeber über Teilzeit verhandeln können. Aber das ist graue Theorie. Das, was zukünftigen oder frischgebackenen Müttern ständig das Gefühl gibt, Einzelkämpferinnen zu sein, ist der fehlende Austausch mit denjenigen, die schon entsprechende Erfahrungen gesammelt haben. Welches kinderlose Paar hat schon genügend Familien im Umfeld, bei denen es Erfahrungen einholen könnte? Und selbst wenn tatsächlich ein oder zwei Bekannte mit Kindern darunter sind, bedeutet das noch lange nicht, daß deren Modell oder Partnerschaftssituation auf das eigene Leben übertragbar ist.

Genau an diesem Punkt hat meine Arbeit angesetzt. Ich habe Frauen zu ihren Erfahrungen befragt und diese ausgewertet, um Ihnen aufzuzeigen, wie sich andere Paare der Kinderfrage genähert haben, welche Vorüberlegungen sie trafen, wie die Umsetzung ihrer Pläne verlief und welche langfristigen Veränderungen sich in ihrem Beruf, ihrer Partnerschaft und in ihrem Privatleben bemerkbar gemacht haben. Diese Erfahrungen möchte ich an Sie weitergeben und Ihnen schildern, was Sie beachten sollten und schon im Vorfeld, aber auch später noch in die Wege leiten können.

Wir haben alle das gleiche Ziel. Jede Frau, die ein Kind bekommt, ohne deshalb ihren Beruf aufgeben zu wollen, hofft und glaubt, daß es ihr möglich sein wird, Kinder zu haben, arbeiten zu gehen und ein gutes Eigenleben beziehungsweise eine Partnerschaft zu führen. Doch von selbst geht überhaupt nichts! Dafür klaffen unser gesellschaftliches System und die Lebenswirklichkeit der meisten Familien viel zu sehr auseinander. Dafür müssen wir noch viel zu oft ankämpfen gegen verständnislose Arbeitgeber, unflexible Arbeitszeiten, mangelnde Kinderbetreuungseinrichtungen, finanzielle Benachteiligung von Familien und anderes mehr.

Immer noch entscheiden sich die meisten jungen Mütter bei der Geburt eines Kindes für einen zeitweiligen Berufsausstieg, obwohl zwei Drittel von ihnen lieber berufstätig blieben, wenn sie Kind und Job besser miteinander vereinbaren könnten. Immer noch leisten Frauen den Hauptteil der Familienarbeit, auch wenn sie beruflich ebenso stark eingespannt sind wie ihr Partner. »Trotz aller öffentlichen Diskussionen über wünschenswerte oder notwendige Veränderung der Geschlechterrollen hat sich an der Alleinzuständigkeit der Frauen für Familienarbeit nichts Grundlegendes verändert. Allenfalls gibt es graduelle Verschiebungen«, berichten Adelheid Gliedner-Simon und Mechthild Jansen in ihrer Forschungsarbeit »Kinder, Küche und Karriere«.[1] Und das kann ewig so weitergehen – wenn wir es zulassen. Aber wenn Sie in Ihrem Leben mit Kind, Beruf und Partner nicht nur funktionieren, sondern auch *Spaß* haben wollen, dann darf es eben *nicht* ewig so weitergehen. Dann sind clevere Regelungen, aber auch Ihr *Partner* gefordert – und das in jeder Hinsicht: bei der Neugestaltung des Berufslebens ebenso wie bei der Kinderbetreuung und in der Beziehung.

Außerdem müssen Sie lernen, nach der Geburt Ihres Kindes weiter auf sich selbst zu achten. Sie glauben, das können Sie schon? Nun, vor dem ersten Kind wissen sich die meisten beruflich engagierten Frauen tatsächlich gut zu pflegen. Aber danach ist es oft genug Essig mit dem Eigenleben. Deshalb tut Abhilfe not.

Trübe sieht es auch bei der Umstellung von einer Liebesbeziehung auf die Elternschaft aus, die vielen Paaren Probleme bereitet. Mitunter entsteht dabei eine Schieflage, bei der die Partnerschaft schließlich ganz in den Keller rutscht. Wer seine Ansprüche an die Partnerschaft trotz Berufs- und Familienleben nicht untergehen lassen will, muß dafür etwas tun – und das heißt, zuallererst ein Gespür für die Gefahr entwickeln.

All dies sind Probleme, die sich mit der Familiengründung einstellen können. Sie restlos zu lösen geht natürlich nicht einfach so, und es geht auch nicht in jedem Fall, aber *ein bißchen was geht immer*! Das habe ich von meinen Gesprächspartnerinnen gelernt. Wenn Sie also nicht irgendwann im Familien- und Berufsalltag ertrinken wollen, dann lernen Sie rechtzeitig darauf zu achten, daß in Ihrer Familie (in spe) die Karten richtig gemischt und verteilt werden.

Für meine Arbeit an diesem Buch habe ich berufstätige Frauen mit Kindern ausführlich zu ihren Erfahrungen mit der Vereinbarkeit von Beruf, Familie und Privatleben interviewt. Gemeinsam war ihnen allen die Überzeugung, daß ihr Job ein wichtiger Teil von ihnen ist, auf den sie trotz Kinder nicht verzichten möchten. Darüber hinaus habe ich versucht, ein möglichst breites Erfahrungsspektrum zusammenzutragen, d. h. die Interviewpartnerinnen sollten sich in Alter, Beruf und Lebensform möglichst unterscheiden. So war die jüngste Frau zum Zeitpunkt des Interviews 22, meine älteste Gesprächspartnerin 50 Jahre alt. Der Altersschwerpunkt lag zwischen 30 und 40 Jahren. Eine Frau steckte mitten in einer kaufmännischen Berufsausbildung, andere sind Hebamme, Lehrerin, Erzieherin, Lektorin, Krankenschwester, Journalistin oder Geschäftsführerin. Zwei Drittel der Frauen leben mit einem Partner zusammen, die anderen sind alleinerziehend.

Da viele Frauen den Wunsch hegen, nach der Geburt möglichst schnell an den Arbeitsplatz zurückzukehren, habe ich bewußt solche Interviewpartnerinnen ausgesucht, die mit einem baldigen Wiedereinstieg beziehungsweise der sofortigen Weiterarbeit nach dem Ablauf der Mutterschutzfrist Erfahrungen gemacht haben. Keine hat nach der Geburt länger als achtzehn Monate pausiert, die meisten kehrten während des ersten Lebensjahres ihres Kindes mit verschiedenen Arbeitszeitmodellen in den Job zurück.

Die Erfahrungen dieser Frauen, ihre Erfolgserlebnisse wie festgestellte Mängel, Irrtümer und Korrekturen sind in dieses Buch eingeflossen, um jenen von Ihnen, die sich ernsthaft ein Kind wünschen, einen realistischen Eindruck davon zu vermitteln, was auf Sie zukommt, und um Sie und Ihren Partner mit einem gewissen Know-how zu versorgen. Wenn Sie noch Zweifel haben sollten oder wenn Ihr Partner noch unschlüssig ist, Sie dagegen fest zu einem Kind entschlossen sind, hält dieses Buch interessante Beispiele für Sie bereit, aber auch einige Warnungen und Hinweise auf Stolpersteine, die Ihnen auf Ihrem Weg in die Quere kommen und Sie aus Ihrer Bahn werfen können.

Wenn Sie gerade schwanger sind oder bereits kleine Kinder haben, werden Sie in diesem Buch vermutlich vieles finden, was Ihnen bekannt vorkommt, mit dem Sie sich vielleicht ebenfalls gerade herumschlagen oder in Kürze befassen müssen. Ich hoffe, Sie werden beim Vergleich Ihrer eigenen Erlebnisse mit denen anderer Frauen wertvolle Einsichten gewinnen und nach Kräften von den Erkenntnissen anderer profitieren können.

Sollten Sie gelegentlich romantische Höhenflüge und rosarote Mutter-Kind-Phantasien vermissen, so ist dies kein Zufall, sondern Absicht. Die meisten Schwangerschaftsratgeber sind voll davon. Ich habe deshalb bewußt auf Schmusegeschichten verzichtet und wünsche Ihnen ganz viele davon im wirklichen Leben.

Unabhängig davon, ob Ihr Kind schon da ist oder nicht, soll Ihnen dieses Buch helfen, die Bereiche Beruf, Familie und Partnerschaft in einen stimmigen Dreiklang zu bringen, damit beim Zusammenspiel keiner den anderen übertönt. Außerdem möchte ich Sie dazu ermutigen, eigene Vorstellungen durchzusetzen, berufliche Verantwortung beizubehalten – oder nach dem Erziehungsurlaub wieder zu übernehmen – und familiäre Verantwortung abzugeben. Und ich möchte Sie anspornen, die Frau, die Sie vor der Geburt Ihres Kindes waren, nicht aus den Augen zu verlieren.

Zunächst aber wünsche ich Ihnen viel Spaß beim Lesen!

1. Kapitel **Zwischen allen Stühlen – Frauen in Beruf und Gesellschaft**

Haben Sie eine qualifizierte Berufsausbildung und einen Beruf, der Ihnen Spaß macht und wichtig ist? Möchten Sie diesen Beruf auch in Zukunft ausüben (obwohl Sie vielleicht darüber nachdenken, ein Kind zu bekommen, oder diesen Wunsch schon umgesetzt haben)? Dann sind Sie das, was ich unter »berufsorientiert« verstehe. Eine Frau, die ihren Beruf als einen wesentlichen Teil von sich empfindet, auf den sie nicht verzichten will, weil er ihr Zufriedenheit, Unabhängigkeit und Selbstbewußtsein schenkt.

Unter Umständen sind Sie damit aber auch eine Vertreterin der neuen Lebensstilgruppe der *»berufsorientierten postmaterialistisch eingestellten selbstbewußten jungen Frau«*. Ihr Kinderwunsch allerdings macht Sie verdächtig. Und wenn Sie gar schon ein fertiges Nachwuchsexemplar besitzen, muß ich Sie leider aus der skizzierten schicken Gruppe wieder hinauswerfen – ab mit Ihnen zu den *»familienorientierten postmaterialistisch eingestellten selbstbewußten jungen Frauen«*. Da gehören Sie hin.

So jedenfalls sieht es die neue Studie der Konrad Adenauer-Stiftung, die sich mit »weiblichen Lebensstilen in West- und Ostdeutschland« beschäftigt.[2] Die dort gebildeten Lebensstilgruppen von berufs- bzw. familienorientierten Frauen unterscheiden sich nämlich nicht durch die Haltung der Frauen zum Beruf, sondern vor allem durch die Tatsache, ob die Frauen kleine Kinder haben oder nicht. Konsequenterweise tauchen die Vollzeit arbeitenden Mütter von kleinen Kindern gar nicht erst auf, vermutlich weil man ihnen so schwer die Berufsorientierung absprechen kann. »Berufstätige junge Frauen sind postmaterialistisch eingestellt, selbstbewußt und verfügen über ein hohes Bildungsniveau. Eine eigenständige Berufstätigkeit in einem attraktiven Beruf ist das vorrangige Lebensziel dieser vorwiegend als Single lebenden Frauen.

Familienorientierte junge Frauen sind ebenfalls sehr selbstbewußt, verfügen ebenso über ein sehr hohes Bildungsniveau, arbeiten Teilzeit, haben sich jedoch bewußt mit hohem Anspruchsniveau für Kinder und Partnerschaft entschieden«*, läßt uns die Studie wissen. Entscheidendes Kriterium für die Zuordnung unter berufs- oder familienorientiert ist also die Tatsache, ob Frauen Kinder haben. Dieses Verfahren spiegelt meiner Meinung nach ein in unserer Gesellschaft weitverbreitetes Vorurteil wider, daß nämlich Frauen, quasi am Eingang zum Kreißsaal, ihre Berufs- und Außenorientierung abgeben, um ab sofort »hauptberuflich« für die Familie dazusein. Eine solche Einstellung führte dazu, daß ich noch ein bis zwei Jahre nach der Geburt meiner Tochter immer wieder vorsichtig gefragt wurde, ob ich denn »schon wieder ein bißchen arbeite«? Hätte ich diese Frage verneint, wäre mir volles Verständnis sicher gewesen. Die Auskunft, daß ich bereits fünf Monate nach der Geburt begonnen hatte »ein bißchen weiterzuarbeiten«, löste dagegen immer wieder Verblüffung aus. Mein Mann, der sich häufiger in der Öffentlichkeit bewegt als ich, wurde noch nie gefragt, wann er denn wieder angefangen hat zu arbeiten und wie er seinen Beruf mit der Familie vereinbart.

Der veränderte Lebenslauf

Lassen wir die alten und neuen Vorurteile einmal beiseite und sehen wir uns die Wirklichkeit an. Während die Zahl der berufstätigen Männer fortlaufend sinkt, steigt der Anteil der berufstätigen Frauen seit den siebziger Jahren unablässig. Ihr Anteil liegt inzwischen bei 61 Prozent, die der Männer bei 79 Prozent.

* Aus einer Presseinformation der Konrad Adenauer-Stiftung vom 21. Januar 1999. Hierzu sei angemerkt, daß der Altersschwerpunkt der »berufsorientierten jungen Frauen« bei 18–24 Jahren (!!) liegt, d. h. die meisten dieser »Single-Frauen« befinden sich noch in der Ausbildung, während bei den »familienorientierten jungen Frauen« die Gruppe der 30–40jährigen den Altersschwerpunkt bildet. Von einer bewußten Wahl des Lebensstils unter Verzicht auf den jeweils anderen kann also bei den befragten Frauen keine Rede sein.

Noch in den sechziger und siebziger Jahren war der Lebensweg junger Mädchen relativ fest vorgezeichnet und an den traditionellen Rollenbildern ausgerichtet. Heute finden junge Frauen es nicht mehr erstrebenswert, sich ausschließlich dem Familienleben zu widmen. Die meisten wollen eine Ausbildung absolvieren und einen Beruf ergreifen. Das heißt jedoch nicht, daß sie gänzlich auf Kinder und / oder Partnerschaft verzichten möchten. Nach wie vor wünschen sich die meisten Mädchen und jungen Frauen neben einem Beruf auch Ehe* und Familie – nichts anderes also als das, was für Männer schon immer selbstverständlich war. Die Wissenschaft nennt das eine »doppelte Lebensorientierung«, die jedoch für Männer und Frauen eine völlig unterschiedliche Bedeutung hat.[3]

Während die Gesellschaft von Männern weiterhin eine ununterbrochene, lebenslange Berufstätigkeit erwartet, durchlaufen Frauen zwar eine ebenso lange und ebenso qualifizierte berufliche Ausbildung, doch erwartet kein Mensch, in vielen Fällen nicht einmal sie selbst, daß sie ihre Fähigkeiten in einer fortwährenden Berufstätigkeit umsetzen.

Männer können sich – mit und ohne Familie – fast ausschließlich auf ihr Berufsleben konzentrieren – und sie tun es. Ganze 1,5 Prozent aller Väter in Deutschland nehmen zur Zeit Erziehungsurlaub. Dagegen kommen für Frauen mit der Eheschließung und / oder der Geburt eines Kindes zu der Berufstätigkeit zahlreiche weitere Aufgaben hinzu, denen sie Genüge leisten sollen: »Als Ehefrau wird von einer Frau erwartet, ein gutes häusliches Klima zu schaffen und die ›Beziehungsarbeit‹ zu übernehmen, d. h. sie muß (unentgeltlich) emotionale und physische Reproduktionsarbeit leisten ... Frauen fällt es weiterhin schwer, sich aus der anerzogenen und gesellschaftlich häufig noch geforderten Fürsorge für den Ehemann und die Kinder zu befreien.

* Dort, wo er verwendet wird, bezeichnet der Begriff »Ehe« tatsächlich die rechtlich anerkannte Lebensgemeinschaft. Generell beziehe ich mich in diesem Buch mit den Begriffen »Partner« und »Partnerin« auf alle stabilen Paarbeziehungen, unabhängig von ihrem rechtlichen Status.

Neben dieser Gefühlsarbeit bleibt auch die Hausarbeit meistens eine Aufgabe der Frau ... Und schließlich kommen die Aufgaben der Kindererziehung hinzu.«[4] Kein Wunder also, daß sich viele Frauen damit Zeit lassen wollen.

Frauen in Beruf und Familie

Trotz allem sind Partnerschaft und Familie keine Auslaufmodelle. Die lange Schul- und Ausbildungsphase und der Wunsch vieler junger Frauen nach einem – zumindest zeitweise – unabhängigen und selbständigen Leben hat lediglich zu einem zeitlichen Aufschub von Ehe und Mutterschaft geführt. Wobei eine Heirat heute meist in direktem Zusammenhang mit einem Kinderwunsch oder einer schon bestehenden Schwangerschaft steht. Während sie als Versorgungsgemeinschaft überwiegend ausgedient hat, ist die Ehe heute eng verknüpft mit Elternschaft. Natürlich heiraten auch Paare, die sich bewußt gegen Kinder entschieden haben, doch ist ihr Anteil im Vergleich zu Paaren mit Kindern immer noch relativ gering, und in vielen Fällen wird hier eine Beziehung ohne Trauschein vorgezogen.

Die Ehe ist in Deutschland nach wie vor die bevorzugte Lebensform.[5] Das durchschnittliche Heiratsalter lag 1997 für bisher unverheiratete Frauen bei 27,8, bei den Männern bei 30,3 Jahren. Das Durchschnittsalter der sogenannten Erstgebärenden lag 1998 bei 28,8 Jahren, Tendenz steigend.[6] Besonders auffallend ist der Trend zur späten Mutterschaft bei hochqualifizierten Frauen. Carin Rubenstein, eine amerikanische Familientherapeutin, spricht in diesem Zusammenhang von der »Verzögerungsgeneration«. Ihrer Meinung nach versuchen junge Frauen, das Problem einer möglichen Überforderung durch Beruf, Familie und Partnerschaft zunächst zu umgehen, indem sie Heirat und Mutterschaft zeitlich aufschieben. Sobald sie sich für ein Kind entschließen, ist bei den Frauen dann, genau wie schon bei ihren Müttern, die Bereitschaft da, es allen recht machen zu wollen und sich für Mann und Kinder aufzuopfern.[7]

Solange sie noch keine Kinder haben, wird die Berufstätigkeit von Frauen heutzutage kaum mehr in Frage gestellt. Das ändert sich jedoch, sobald das erste Kind auf der Welt ist. Obwohl viele Männer der Gleichberechtigung von Mann und Frau scheinbar positiv gegenüberstehen, spiegelt sich das nicht in ihrem Alltagsverhalten. »An der üblichen Schieflage zwischen Männer- und Frauenengagement im Haus und in der Kindererziehung ändern auch die neuen Männer nur wenig«, verkündet eine kürzlich erschienene Studie über »neue Männer« in Deutschland.[8] Noch 1993 gaben 88 Prozent der westdeutschen und 81 Prozent der ostdeutschen Männer an, Frauen mit Kindern sollten zu Hause bleiben.* Akzeptiert wird lediglich, wenn eine Frau aus finanziellen Gründen weiter arbeiten gehen *muß*, nicht aber, wenn sie ihren Beruf als Teil ihres Lebens empfindet. Daß dies so ist, liegt jedoch nicht ausschließlich an den Männern. Auch viele Frauen haben diese Ansicht weiter verinnerlicht, obwohl sie gleichzeitig wissen, daß die Kindererziehung allein sie nicht befriedigen kann. Sie befinden sich damit in einem echten Dilemma. Und selbst wenn sie ihren Beruf mit der Geburt der Kinder nicht aufgeben, ist der Preis für die Weiterarbeit bei vielen Frauen, zusätzlich zu allen organisatorischen Problemen, ein permanent schlechtes Gewissen. Im Grunde lassen sich die Probleme von Frauen, die auch als Mütter weiter berufstätig sein möchten, in einem Dreierpack zusammenfassen:

- Frauen müssen sich gegen die Vorurteile der Gesellschaft zur Wehr setzen, die von ihnen erwartet, sich wie eine »richtige« Frau zu verhalten und sich um Mann und Kinder zu kümmern. Außerdem mehren sich in Zeiten hoher Arbeitslosigkeit die Stimmen derer, die sich diese Vorurteile zunutze machen, um die »Konkurrenzmasse« Frauen vom Arbeitsmarkt zurück an Herd und Wiege zu verdrängen. Dadurch sehen sich vor allem verheiratete Frauen dem Vorwurf ausgesetzt, sie

* Im Eurobarometer 39 von 1993 gaben 85 Prozent der westdeutschen Frauen an, eine Mutter solle zu Hause bleiben. Von den ostdeutschen Frauen waren 74 Prozent dieser Meinung.

würden anderen (Männern) die Arbeitsplätze wegnehmen. Dem liegt natürlich ein weiteres Vorurteil zugrunde, nämlich die Ansicht, verheiratete Frauen könnten schließlich zu Hause bleiben, weil sie einen »Ernährer« haben.

- Viele Frauen stellen zu hohe Erwartungen an sich selbst, wollen es sowohl im Beruf als auch in der Partnerschaft, in der Familie und im Haushalt allen recht machen. Sie wollen »Superfrauen« sein, wie sie uns im Fernsehen, im Kino oder in der neueren Unterhaltungsliteratur verkauft werden. Besonders hoch ist dieser Erwartungsdruck im Beruf, denn dort müssen Frauen es anderen nicht nur recht machen, sondern sie müssen (ob mit oder ohne Kind) objektiv besser sein als ihre männlichen Kollegen, um Anerkennung zu finden.
- Frauen müssen mit den eigenen Schuldgefühlen fertig werden, die dieses Streben nach dem Unmöglichen in ihnen auslöst, weil sie die zu hoch gesteckten Ziele nicht erreichen können. Keine Frau kann so beschwingt durchs Leben gleiten, wie die wunderschöne Dame im lindgrünen Designerkostüm aus der Kaffeewerbung es uns glauben machen will. Da hilft auch noch soviel Kaffee nichts.

In ihrem Buch »Gute Mütter arbeiten« beurteilt Regine Schneider das weibliche Dilemma folgendermaßen: »Was von Frauen gefordert wird, ist voller Widersprüche. Frauen, die sich bemühen, allen Forderungen gerecht zu werden, müssen scheitern. Kein Mensch kann alles perfekt leisten und gleichzeitig auch seinen eigenen Wünschen und Interessen Raum und Zeit geben. Um zufrieden werden zu können, müßten Frauen abgeben dürfen. Müßten sie Prioritäten setzen dürfen. Frauen müßten begreifen, daß es nicht darum geht, wer die bessere Mutter ist, die berufstätige oder die Vollzeitmutter. Wenn Mütter verstehen könnten, daß es aufgrund der gesellschaftlichen Bedingungen beiden nicht gutgeht, wäre viel getan.«[9]

Die hier angesprochene Konkurrenz unter Frauen ist jedoch nicht die Wurzel des Übels. Konkurrenz zwischen kinderlosen Frauen und Frauen mit Kindern ist kein »Naturphänomen«, sondern lediglich eine Reaktion beider Gruppen auf die Unterdrükkung weiblicher Interessen in der Gesellschaft und die dadurch bedingten schwierigen Lebensumstände. Solange aber kinderlose Frauen und Frauen mit Kindern munter gegeneinander ausgespielt werden können, muß sich an den wirklichen Ursachen des Dilemmas, den rückständigen gesellschaftlichen Strukturen, nichts ändern.

Die unsichtbaren Kinder

Etwa sieben Millionen Frauen in Deutschland haben zwei Jobs – sie sind berufstätig und Mütter. Dafür klopft ihnen aber niemand anerkennend auf die Schulter – im Gegenteil. Selbst wenn eine Frau das Kunststück fertigbringt, frei von Schuldgefühlen ihrem Beruf nachzugehen, muß sie immer noch darauf bedacht sein, an ihrem Arbeitsplatz nicht schnellstens in der Schublade der »Muttertiere« zu landen. Dazu braucht sie keinen Anlaß zu geben – es reicht die Tatsache, daß sie Mutter ist. Diese Erfahrung hat auch Michaela gemacht, die als Vollzeitkraft im Außendienst tätig ist. Obwohl sie bis zum Ende der Schwangerschaft gearbeitet hat und acht Wochen nach der Geburt ihrer Tochter wieder auf der Matte stand, hatte sie das Gefühl, plötzlich mit anderen Maßstäben gemessen zu werden.

> Ich habe wirklich das Gefühl gehabt, jeder guckt, na, schafft sie es? Und wenn ich irgendwelche Listen zurückgeben mußte, wenn *ich* mal einen Tag später dran war, dann hieß es gleich, na ja, du hast ja auch das Baby! Das hat mich genervt, weil ich auch früher mal eine Liste einen Tag später abgegeben habe. Aber nach der Geburt war immer klar: Wenn ich etwas nicht gemacht oder irgend etwas anders gemacht habe, dann war das immer deshalb, weil ich Mutter bin. Und das hat mich sehr gestört. Und es hat mich gestört, wie ich da unter Beobachtung stand.
>
> *(Michaela, 30, Außendienstmitarbeiterin)*

Vor allem in Westdeutschland ist zu beobachten, daß Frauen mit Kindern sich gezwungen fühlen, ihr Familienleben strikt vom Berufsleben zu trennen, um nicht beruflich Schaden zu nehmen. Während bei ihren Männern ganz selbstverständlich ein Familienfoto auf dem Schreibtisch steht, müssen Frauen befürchten, dadurch sofort als Familienglucke abgestempelt zu werden, was nichts anderes bedeutet als die Infragestellung ihrer beruflichen Motivation. Für Frauen aus Ostdeutschland ist dies eine neue und schmerzhafte Erfahrung, da Beruf und Privatleben in der ehemaligen DDR weit stärker miteinander verknüpft waren.

Die achtunddreißigjährige Martina lebt seit vier Jahren in einem der alten Bundesländer. Obwohl sie versucht, sich mit der vorherrschenden Trennung von Beruf und Familie zu arrangieren, empfindet sie es nach wie vor als seltsam und unnatürlich.

> Es ist einerseits in Ordnung, weil ich auch denke, am Arbeitsplatz zählt eben erst mal die Arbeit. Auf der anderen Seite denke ich aber doch öfter mal darüber nach, daß es schon merkwürdig ist für mich. Aber das hängt, glaube ich, damit zusammen, daß es in der DDR generell anders war, daß du auch an der Arbeit viel mehr von deinem Privatleben kundgetan hast und daß du viel mehr als ganze Person wahrgenommen und reflektiert worden bist. Und das wundert mich dann gelegentlich, und manchmal ärgert es mich auch, daß ich hier viel stärker den Eindruck habe, so in Scheibchen zerlegt zu sein: hier bist du Mutter, hier bist du Arbeitskollegin und hier bist du jetzt das und das. Aber diese Komplexität, die das Leben eben ausmacht, die wird zumindest am Arbeitsplatz nicht eingebracht. *(Martina, 38, Lektorin)*

Die Botschaft, daß Kinder im Berufsleben unsichtbar zu sein haben, wird Frauen auf vielfältige Weise beigebracht. So fand ich im Internet auf der Homepage der Frauenzeitschrift *Freundin* einen Artikel, in dem sieben typische Fallen vorgestellt wurden, die berufstätige Mütter unbedingt vermeiden sollten.[10] Die Empfehlungen der Autorin habe ich verkürzt zusammengefaßt.

Berufstätige Frauen mit Kindern sollten:

1. nicht ständig über die Belastungen der Kinderbetreuung re-

den. Wenn, dann erst nach überstandener Krise davon erzählen, weil frau so das Image aufbaut, die Doppelbelastung »fast spielerisch« hinzukriegen;
2. sich nicht aus dem Informationsfluß im Büro ausklinken, indem frau pünklich das Büro verläßt oder in den Pausen Einkäufe erledigt;
3. nicht zu ausführlich von den Fortschritten der Kinder erzählen, das nervt und stempelt frau zur »Superglucke«;
4. Tagesabläufe nicht zu knapp kalkulieren, weil sie sonst zu gehetzt und gestreßt und damit beruflich nicht belastbar wirken.
5. den gesetzlichen Anspruch auf Freistellung bei Krankheit des Kindes nicht immer in Anspruch nehmen, weil das »nicht nur der Chef, sondern auch die Kollegen übelnehmen könnten«; Lieber eine Notbesetzung von »Ersatzmamis« bereithalten;
6. dem Chef Vorschläge machen, wann frau diese Fehlzeiten nachzuholen gedenkt, wenn sie doch einmal kindbedingt fehlen muß;
7. nicht überempfindlich auf Frotzeleien reagieren.

So wohlgemeint diese Ratschläge auch sein mögen, gehen sie doch völlig an der Wirklichkeit berufstätiger Frauen mit Kindern vorbei. Wofür werden beispielsweise Arbeitszeiten vereinbart, wenn sich die Menschen nicht annähernd darauf verlassen können, um diese Zeit aus dem Büro zu kommen – egal ob sie Kinder haben oder nicht? Auch Kinderfrauen und ErzieherInnen haben einen Anspruch auf verläßliche Arbeitszeiten und stehen nicht allzeit bereit. Und welche Frau macht sich einen Jux daraus, Freistellungstage in Anspruch zu nehmen, wenn jemand anderes ihr krankes Kind betreuen könnte? Was diese Empfehlungen meiner Ansicht nach wirklich aussagen, ist folgendes:
1. Sie sind als Mutter im Beruf gehandikapt, und das wenigste, was Sie tun können, ist, dieses Handikap so gut wie möglich zu vertuschen, indem Sie Ihr/e Kind/er unsichtbar machen (so wie das Männern schon immer möglich ist).
2. Reißen Sie sich in Stücke und werden Sie zur Superfrau, die scheinbar alles spielerisch bewältigt.

3. Halten Sie um Himmels willen das Leben mit Kindern nicht für normal, das könnten Ihnen andere übelnehmen. Passen Sie sich an die Standards der männlichen Berufswelt an, damit nicht andere auf Sie eingehen müssen.

Warum sollten sich Frauen mit Kindern solche Ratschläge zu eigen machen? Sie schaden sich damit nur selbst und vergrößern ihren eigenen Streß, während sie anderen jegliche Einsichtnahme ersparen.

Die Qual der »Wahl«

Vielleicht finden Sie, daß auf Mütter gar keine besondere Rücksicht genommen werden sollte? Schließlich sind sie weder krank noch behindert. Das ist richtig. Dafür aber leben sie in einer Gesellschaft, in der die gesamte Arbeitswelt immer noch so strukturiert ist, als würden ausschließlich Männer ohne Kinder einer Berufstätigkeit nachgehen und dafür ihre volle Arbeitskraft zur Verfügung stellen, während gleichzeitig die Frauen zu Hause die Kinder aufziehen und den Mann für den Einsatz in der Arbeitswelt wieder aufpäppeln. Das war einmal. Diese Zeiten sind vorbei. Doch solange die Diskrepanz zwischen den veralteten Strukturen und den veränderten Verhältnissen weiterbesteht, können wir froh sein, daß die Mütter und Väter unseres Grundgesetzes in weiser Voraussicht in Artikel sechs postulierten: »Jede Mutter hat Anspruch auf den Schutz und die Fürsorge der Gemeinschaft!« Aber wie sieht dieser besondere Schutz für berufstätige Frauen aus? Sie haben die »Wahl« zwischen einer Vollzeitarbeit und »flexibleren« Arbeitsformen wie Teilzeitarbeit, Jobsharing, ungeschützten Arbeitsverhältnissen (630 DM-Jobs) oder Heimarbeit. Dazu stellen Mechthild Jansen und Adelheid Gliedner-Simon fest: »Flexible Arbeitsverhältnisse sind für Frauen mit vielen Nachteilen verbunden: Es handelt sich häufig um geringgeschützte Arbeitsverhältnisse mit allen damit verbundenen sozialen Unsicherheiten. Es handelt sich um schlechter bezahlte Beschäftigungen mit im allgemeinen niedrigem Qualifikationsniveau, in denen viele Frauen zudem ›überqualifiziert‹ von ihrer Ausbildung und Berufserfahrung her tätig sind. Die Aufstiegsmöglichkeiten sind deutlich geringer als bei Vollzeitarbeitsplätzen. Flexible Erwerbsarbeitsplätze sind generell eher von Rationalisierungen oder anderen Neuerungen bedroht, d. h. unsichere Arbeitsplätze.«[11] Die Autorinnen kommen in ihrer Untersuchung auch zu dem Schluß, daß viele Frauen in Teilzeitarbeitsverhältnissen lieber Vollzeit arbeiten würden, wenn sie Beruf und Familie besser vereinbaren könnten.[12]

1998 arbeiteten 41 Prozent aller erwerbstätigen Frauen Teilzeit, gegenüber fünf Prozent Männern. In einer Umfrage der Zeitschrift *Cosmopolitan* gaben 70 Prozent der Befragten an, keine familienfreundlichen Unternehmen zu kennen. Nur 13 Prozent hatten erfreuliche Erfahrungen gemacht. Als Hauptbelastungsfaktoren wurden genannt: unflexible Arbeitszeiten, Streß durch Doppelbelastung, Unverständnis bei Notfällen, fehlende Kinderbetreuung und Unverständnis bzw. Neid der Kolleginnen.[13] Je besser die Frauen qualifiziert sind, je höher ihre berufliche Position, desto schlechter werden die Aussichten auf familienfreundliche Arbeitsplatz- und Arbeitszeitgestaltung. Für Führungskräfte, so heißt es in der Cosmopolitan-Umfrage weiter, sind nur in 14 Prozent aller Fälle Teilzeitmöglichkeiten vorhanden (gegenüber 52 Prozent bei nicht leitenden MitarbeiterInnen).

Ist es da ein Wunder, daß sich mehr und mehr hochqualifizierte Frauen gegen Kinder entscheiden? Rund 40 Prozent der heute 35- bis 39jährigen Akademikerinnen sind kinderlos. Das sind fast doppelt so viele wie bei den Frauen mit Hauptschulabschluß.[14] Und diesen wirft man dann vor, materialistisch und egoistisch zu sein, während sie lediglich auf die Verhältnisse in ihrer Gesellschaft reagieren. Dabei erklärt einem jeder Zoologe, daß Säugetiere, die unter ungünstigen Lebensbedingungen leben müssen, keine Nachkommen bekommen – und das sogar ohne Pille.

Ich will Sie mit dieser Beschreibung der gesellschaftlichen Zustände weder entmutigen, noch davon abbringen, Kinder zu bekommen. Vielmehr möchte ich Ihnen aufzeigen, daß es keineswegs Ihr Privatproblem ist, wenn Sie und Ihr Partner Schwierigkeiten haben sollten, ein Kind mit ihrem Berufs- und/oder Beziehungsleben zu vereinbaren. Es sind vor allen Dingen die unzähligen strukturellen Benachteiligungen in unserem Land und die Vorurteile und Voreingenommenheiten in unserer Gesellschaft, die Paaren mit Kindern das Leben schwermachen. Wenn Sie also ab und zu das Gefühl haben, überfordert zu sein oder unter einem schlechten Gewissen zu leiden, so ist das nicht nur Ihr Problem, sondern ein gesellschaftliches. Schließlich liegt es nicht an Ihnen, daß es immer noch zu wenig ausreichende Kinderbetreuungsmöglichkeiten, flexible Arbeitszeitmodelle und finanzielle Entlastung von Familien mit Kindern gibt und daß Frauen immer noch unter verstaubten Rollenvorstellungen und überzogenen Erwartungen zu leiden haben. Daran sollten Sie bei der Ausgestaltung Ihres Lebens denken, damit Sie sich gegen aufkeimende Schuldgefühle wehren können und sich nicht für die einzige halten, die etwas nicht richtig hinbekommt.

Sie können Ihr Leben selbst gestalten. Kommentierte Beispiele und Erfahrungen warten in den nächsten Kapiteln auf Sie. Bedenken Sie aber, daß die Grundvoraussetzung für ein erfolgreiches Familienmodell die Mitarbeit Ihres Partners ist. Wenn er nicht mitzieht, lastet alle Verantwortung ausschließlich auf Ihren Schultern, und das wird, selbst wenn Sie es noch so gut organisieren, sehr, sehr schwer. Es sei denn, Ihre Vorstellungen drehten sich von Anfang an um ein Leben mit Kind, aber ohne Mann. Eines der Hauptprobleme bei der Einbeziehung des Partners – von den immer noch festverankerten Rollenklischees in Männerköpfen einmal abgesehen – ist unser eigenes, widersprüchliches Rollenverständnis in bezug auf die Mutterschaft, das uns daran hindert, unsere Forderungen massiver durchzusetzen. Es ist schwierig, etwas einzufordern, wovon wir selbst nur halb überzeugt sind. Noch schwieriger ist es, Verantwortung für etwas abzugeben, das wir – sozusagen per Biologie – für das unsere halten.

Wie das Bild von der guten Mutter, das wir alle in den Köpfen tragen, aussieht, wie es entstanden ist, welche Widersprüche und Auswirkungen es mit sich bringt und wie Sie sich, wenn Sie wollen, davon befreien können – diese und andere Aspekte finden Sie im folgenden Kapitel.

2. Kapitel **Das Bild von der »guten Mutter« – Der Kampf gegen die eigenen Klischees**

> Die gute Mutter wird fortwährend neu erfunden. Jede Epoche und Gesellschaft erschafft sich ihre eigene Version, nach ihren eigenen Maßstäben, entsprechend ihrer eigenen Mythologie.
>
> *Shari Thurer*

Aus einer Internet-Diskussion über die Erfahrungen berufstätiger Mütter:

> Ich möchte gerne wieder anfangen zu arbeiten. Habe für unsere 17 Monate alte Tochter eine super Tagesmami gefunden, und seitdem kriegen wir die volle Breitseite ab. Selbstverwirklichung auf Kosten des Kindes – wozu habt ihr denn überhaupt das Kind? So etwas überlegt man sich doch vorher. Und wenn überhaupt arbeiten, dann nur halbtags, weil sonst hat man überhaupt nichts mehr vom Kind (ich möchte gerne ganztags arbeiten). Meine Freundin ist so eine Supermutter. Sie ist den ganzen Tag zu Hause und kommandiert ihre Tochter (2 Jahre alt) im Befehlston. Bei ihr hört man den ganzen Tag nichts anderes als »nein«. Schöne Art von Erziehung! Sie langweilt sich zu Tode, ihr fällt die Decke auf den Kopf. Aber das Kind stundenweise »abstellen« – niemals.[15]

Die hier beschriebene Erfahrung ist leider kein Einzelfall, denn die Berufstätigkeit von Müttern ist manchen nach wie vor ein Dorn im Auge. Bereits im ersten Kapitel wurde darauf hingewiesen, daß noch immer mehr als dreiviertel aller Männer und Frauen in Deutschland die Meinung vertreten, eine Frau solle nach der Geburt ihres Kindes zu Hause bleiben. Gleichzeitig aber möchten die meisten Frauen arbeiten und tun es auch, denn 60 Prozent aller Frauen mit Kindern unter 18 Jahren sind berufstätig.[16] Hartnäckig hält sich auch die Vorstellung, wie die im Zitat genannte Freundin sie vertritt, Kinderbetreuung, die nicht durch die Mutter geleistet wird, sei gleichbedeutend mit einer Abschiebung. Als würden Kinder in Kinderkrippen und -tagesstätten morgens in ein Schrankfach »geschoben« und bei Abholung wieder herausgeholt. Im Grunde genommen hegen also viele Frauen Vorstellungen von der Mutterschaft, die mit ihren tatsächlichen Wünschen und Bedürfnissen im Widerspruch stehen. Eine aberwitzige Situation! Wir sollten uns daher ansehen, wie solche Ansichten in die Köpfe von Frauen hineingelangen und welche Konsequenzen sie auf ihre Vorstellung von der Mutterschaft haben.

Die Bilder in unseren Köpfen

Selbst wenn Sie nicht der Ansicht sind, eine Mutter gehöre naturgemäß zu ihrem Kind und nicht an einen Arbeitsplatz, haben auch Sie konkrete Vorstellungen davon, was eine gute Mutter ausmacht und was nicht. Dabei ergibt sich vor allem bei berufsorientierten Frauen oft ein innerer Widerspruch zwischen den Maßstäben und Zielen, die sie für ihr eigenes Leben entwickelt haben, und dem Rollenvorbild der eigenen Mutter.

Da die heutigen Mütter von einer Frauengeneration erzogen wurden, die der traditionellen Hausfrauen- und Mutterrolle noch stark verpflichtet war, können berufsorientierte Frauen bei der Ausgestaltung ihres eigenen Lebens nur in seltenen Fällen auf das Vorbild der eigenen Mutter zurückgreifen. Das Leitbild der Vollzeitmutter und -hausfrau lebt in uns, ob wir es wahrhaben wollen oder nicht. Und selbst wenn Frauen für ihr eigenes Leben völlig andere Ziele und Perspektiven entwickelt haben, bleibt das Hausfrauenideal der Müttergeneration ein Maßstab in ihren Köpfen.

Mir selbst wurde das am Bügelbeispiel deutlich. Der Partner einer meiner Freundinnen benötigt jeden Tag ein frisch gewaschenes und gebügeltes Hemd für seine Arbeit als Bankangestellter. Meine Freundin, die selbst ganztags berufstätig ist, weigert sich, seine Hemden zu bügeln. Dafür müsse er schon selbst sorgen, sagt sie. Obwohl ihre Mutter über diese Einstellung nur den

Kopf schütteln kann und nicht mit anzüglichen Bemerkungen spart, weigert sich meine Freundin beharrlich, und sie ist stolz auf ihre Standhaftigkeit. Wann immer sich die Gelegenheit bietet, läßt sie in Diskussionen über die Verteilung von Haushaltsarbeiten durchblicken, daß *sie* zu Hause *nicht* die Hemden ihres Mannes bügelt.

Was sie mit diesem Verhalten aber auch zum Ausdruck bringt, ist ihr Stolz darüber, von einer *Norm* abzuweichen. Sie ist stolz darauf, eine Rebellin zu sein, denn ihr Maßstab ist der gleiche wie der ihrer Mutter: »Eine Frau hat die Hemden ihres Mannes zu bügeln.« Erst wenn sie *nicht* stolz darauf wäre, die Hemden ihres Mannes *nicht* zu bügeln, sondern den Gedanken daran als abwegig empfände, hieße das, daß ihr eigener Maßstab ein anderer ist als der ihrer Mutter.

Die Einstellungen von Frauen, die zu Hause bleiben, um sich ihrem Kind zu widmen, unterscheiden sich also keineswegs dramatisch von denen vieler berufstätiger Frauen. Der Unterschied ist lediglich der, daß erstere die traditionellen Rollenbilder der Müttergeneration zu ihren eigenen gemacht haben, während letztere diesem Bild nicht mehr entsprechen möchten, weil die ausschließliche Konzentration auf Haushalt und Familie sie nicht befriedigt und ihnen keine eigenständige Entfaltungsmöglichkeit (wie sie ein berufstätiger Mann hat) bietet.

Wie kommt es, daß in unserer schnellebigen Zeit, in der die Trends einander so rasch abwechseln, daß kein Mensch mehr hinterherkommt, die alten Ideale so hartnäckig in den Köpfen von Frauen und Männern festsitzen? Und das, obwohl sie auf die Wirklichkeit kaum noch zu übertragen sind, weil sich das gesellschaftliche Leben in den letzten vierzig, fünfzig Jahren so sehr verändert hat? Ich möchte zur Klärung dieser Frage ein wenig weiter ausholen und zunächst die geschichtliche Beziehung von Frauen zu Arbeit und Mutterschaft ein wenig genauer beleuchten.

Frauenarbeit und Mutterschaft früher

In der vorindustriellen Gesellschaft gab es keine Trennung zwischen Arbeits- und Familienstätte. Frauen arbeiteten vor und nach der Geburt von Kindern in der Familienwirtschaft mit und hatten wenig Zeit, sich um ihre wachsende Kinderschar zu kümmern. Doch auch in höheren Gesellschaftsschichten, wo Frauen nicht im eigenen Familienbetrieb mitarbeiten mußten, war die Beziehung zwischen Müttern und Kindern nicht enger oder intensiver. Der Geist des Puritanismus durchwehte das 16. und 17. Jahrhundert, und dieser sah eine strenge und religiöse Kindererziehung vor. Die Protestanten der Frühneuzeit glaubten, daß Kinder mit Sünde beladen zur Welt kämen und auch weiterhin zur Sünde neigten, wenn man sie nicht mit strenger Hand auf den rechten Weg brachte. Für die Katholiken dagegen war die kindliche Sünde mit der Taufe, die kurz nach der Geburt stattfand, bereinigt. Das hinderte katholische Eltern aber ebensowenig wie protestantische, ihre Kinder mit unerbittlicher Strenge zu erziehen. Unterschiedlich waren nur die Gründe.

Dennoch haben die damaligen Eltern ihren Nachwuchs sicher von Herzen geliebt, nur lag darin weniger Inbrunst und Hinwendung als heute. Schließlich war auch die Gefahr der Kindersterblichkeit sehr groß. Im 16. und 17. Jahrhundert erlebte nur ein Drittel aller Kinder ihren fünften Geburtstag. Auch das Stillen ist – zumindest in höheren Kreisen – eine Erscheinung der Neuzeit. In England und Frankreich wurden Kinder wohlhabender Familien bis ins 19. Jahrhundert hinein von Ammen betreut – in Deutschland wurden Kinder sogar bis weit ins 20. Jahrhundert von ihren Eltern in Pflege gegeben.

Die Entstehung des bürgerlichen Familienideals

Gegen Ende des 18. Jahrhunderts begannen sich die gesellschaftlichen Verhältnisse dramatisch zu verändern. Mit der zunehmenden Industrialisierung wandelten sich auch die Arbeitsformen der Menschen. Die Bereiche Familien- und Erwerbsarbeit wurden erstmals voneinander getrennt und damit auch die Bereiche Familienleben und Arbeiten. Den Frauen wurde nun der häusliche Bereich und die Kinderbetreuung zugeordnet, während der Mann für den bezahlten Broterwerb zuständig war.[17] Aus diesen Bedingungen heraus entstand der Typus der »bürgerlichen Familie«.

Obwohl im 19. Jahrhundert nur ein geringer Teil der Bevölkerung zur privilegierten Bürgerschicht zählte, wurde das Leitbild der bürgerlichen Familie zum allgemeingültigen Gesellschaftsideal. Friedrich Schiller hat dieses Ideal im »Lied von der Glocke« verewigt:

Der Mann muß hinaus
Ins feindliche Leben,
Muß wirken und streben
Und pflanzen und schaffen,
Erlisten, erraffen,
Muß wetten und wagen
Das Glück zu erjagen.
Da strömet herbei die unendliche Gabe,
Es füllt sich der Speicher mit köstlicher Habe,
Die Räume wachsen, es dehnt sich das Haus.
Und drinnen waltet
Die züchtige Hausfrau,
Die Mutter der Kinder,
Und herrschet weise
Im häuslichen Kreise,
Und lehret die Mädchen
Und wehret den Knaben,
Und reget ohn Ende
Die fleißigen Hände …

Dabei sah das Leben einer bürgerlichen Ehefrau alles andere als idyllisch aus. Ihr Dasein war zwar »durchaus ausgefüllt, aber ihre Tätigkeiten waren auf das Haus begrenzt, die Teilhabe am gesellschaftlichen oder gar politischen Leben eingeschränkt. Sie war nicht geschäftsfähig, ihr Vermögen ging bei der Heirat in die Verwaltung des Mannes über. Die Bildungsmöglichkeiten bürgerlicher Mädchen wurden im Normalfall auf die Vermittlung elementarer Kenntnisse beschränkt. Insgesamt zeigt sich das Bild einer Frau, die sich selbst stark bis völlig zurücknimmt und im Dasein für die Familie lebt, rechtlich und finanziell vom Ehemann abhängig und vom gesellschaftspolitischen Leben ausgegrenzt.«[18]

Kommt Ihnen das irgendwie bekannt vor? Das ist kein Wunder! Auch wenn die Gleichberechtigung zwischen Frauen und Männern in Deutschland 1949 im Grundgesetz festgeschrieben wurde, bedurfte es noch 1953 der Nachhilfe durch das Bundesverfassungsgericht, um jederMann klarzumachen, daß Mann und Frau auch in der Ehe gleichberechtigt sind. Und es sollte noch weitere dreiundzwanzig Jahre dauern, ehe die Gerichte sich 1976 endgültig vom Leitbild der bürgerlichen Hausfrauenehe verabschiedeten und Frauen offiziell für geschäftsfähig erklärten. Damit konnten sie u. a. erstmalig selbst darüber bestimmen, ob sie – auch als Ehefrau – einen Beruf ausüben wollen oder nicht.

Der Weg zum heutigen Mutterbild

Die Aufspaltung in häusliche Familien- und aushäusige Erwerbsarbeit führte zu einem grundsätzlich anderen Verständnis von Mutterschaft. Da das Muttersein neben der Hausarbeit zum ausschließlichen Betätigungsfeld der Frauen wurde, mußte es gesellschaftlich neu bewertet werden. Fortan erklärte man Mütter für unersetzlich, und die Mutterrolle wurde verklärt und idealisiert. Gleichzeitig aber wurden Frauen alle anderen Interessen abgesprochen, seien sie sexueller oder gesellschaftspolitischer Art. »Ideologisch gesehen, verloren die Frauen im 19. Jahrhundert ihren Geschlechtstrieb; an seine Stelle, wie könnte es anders sein, trat der Mutterinstinkt. Nach Ansicht der Viktorianer wollten die Frauen Babys und die Männer den Orgasmus. Der Mutterinstinkt sei die weibliche Entsprechung des männlichen Sexualinstinkts«, schreibt Shari Thurer in ihrem Buch »Mythos Mutterschaft«.[19]

Den Grundstein für unser heutiges Mutterbild legte die Reformpädagogik zu Anfang des 20. Jahrhunderts. Sie stellte anstelle von »Zähmung und Unterwerfung des Kindes«[20] seine Selbstverwirklichung in den Mittelpunkt, und um dies zu erreichen, kamen natürlich nur die Mütter in Frage. Sie hatten von nun an nicht nur ausschließlich für ihr Kind und dessen Leibeswohl dazusein, sondern sie sollten auch noch jede Menge »persönliche Bereicherung und Freude« aus dem Zusammensein mit ihrem Sprößling ziehen. Anerkennung brauchten sie nicht, das Lächeln ihres Kindes war ihnen Dank genug.

Im Nationalsozialismus wurde diese Denkweise praktisch umgesetzt. Frauen seien die geborenen Kindererzieherinnen, war die Devise, von der Natur dazu auserkoren, den »neuen, besseren« Menschen heranzuziehen. Mütter wurden öffentlich gefeiert, belobigt und mit Mütterkreuzen geschmückt. Auf Bildung kam es dabei weniger an, denn sie hatten ja den Mutterinstinkt, der ihnen alles einflüsterte, was zum Kinderkriegen und -aufziehen nötig war.

Auch nach dem Zweiten Weltkrieg bemühten sich Kinderärzte, Erziehungsexperten und Psychologen kräftig weiter darum, die biologische Mutter-Kind-Bindung wissenschaftlich zu untermauern. Kein Wunder, schließlich galt es dem Heer der heimkehrenden Soldaten wieder zu Arbeitsplätzen zu verhelfen und die Trümmerfrauen zurück in die Küche zu schicken – allerdings erst, nachdem sie diese eigenhändig wieder aufgebaut hatten.

Dank der Theorien Freuds und seiner NachfolgerInnen wurde Mutterschaft zu einer der komplexesten Aufgaben überhaupt. Zur mütterlichen Verantwortung für die Aufzucht der Kinder kam nun auch die Alleinzuständigkeit für deren seelische Entwicklung hinzu. Jedes Zuviel oder Zuwenig an Aufmerksamkeit, Hinwendung und Liebe konnte die empfindliche Kinderseele verletzen und ihr lebenslange Schäden zufügen. Das »kindliche Urvertrauen« wurde zum Damoklesschwert, das bis heute über Mütterhäuptern schwebt.

Die Gefahr drohender Persönlichkeitsstörungen bürdete den Müttern fortan alle Verantwortung für das psychische und sexuelle Wohlergehen ihrer Kinder auf, für die Ausbildung ihres Selbstbewußtseins ebenso wie für ihre Fähigkeiten in zwischenmenschlichen Beziehungen. Unbarmherzig schlugen sich diese Theorien beispielsweise in den Bestsellern zur »Säuglings- und Kinderpflege« von Dr. Benjamin Spock nieder, dessen Bücher sich seit fünfzig Jahren diesseits und jenseits des Atlantiks in Millionenauflagen verkaufen. In Spocks Welt konnten nur jene Frauen zu guten Müttern werden, die sich für das Innenleben ihrer Kinder aufopferten und sich völlig den Bedürfnissen ihres Babys widmeten. An die Bedürfnisse der Mütter, respektive eine Berufstätigkeit der Frau, war da natürlich nicht zu denken: »Wenn eine Mutter erst einmal erkennt, wie wichtig diese Art der Fürsorge für ein kleines Kind ist, dann wird sie leichter zu dem Entschluß kommen, daß das zusätzliche Geld, das sie verdienen kann, und die Befriedigung, die sie in einer Arbeit außer Haus finden mag, unterm Strich doch nicht so wichtig sind.«[21]

Erst die Bildungsexpansion in den sechziger und siebziger Jahren versetzte Frauen in die Lage, ebenso wie Männer Bildungsmöglichkeiten in Anspruch zu nehmen, so daß heute genauso viele Mädchen wie Jungen eine qualifizierte Ausbildung erhalten. Und die Zahl der berufstätigen Frauen stieg, allen Klischeevorstellungen zum Trotz, allein im früheren Bundesgebiet von 9,863 Millionen im Jahr 1958 auf 12,416 Millionen im Jahr 1998.[22] Das sind gewaltige Veränderungen seit den fünfziger Jahren. Nicht wesentlich geändert hat sich das Mutterbild, das damals wie heute dem gleichen Ideal verhaftet ist: der Vollzeitmutter.

Alter Wein in neuen Schläuchen

Obwohl inzwischen mit zahlreichen wissenschaftlichen Studien nachgewiesen wurde, daß die Berufstätigkeit beider Eltern beziehungsweise eine frühe Kinderbetreuung durch Außenstehende keinerlei schädliche Auswirkungen auf die Kinder hat (sondern sich eher das Gegenteil abzeichnet), gibt es nach wie vor genügend Psychologen, ausgewiesene und selbsternannte Kinderexperten, die die ausschließliche Betreuung durch die Mutter zumindest in den ersten ein bis drei Lebensjahren für unverzichtbar erklären. Daß dies weder wissenschaftlich belegbar ist, noch länger mit der gesellschaftlichen Wirklichkeit übereinstimmt, weil immer weniger Frauen auf eine Berufstätigkeit verzichten wollen und es für viele Familien schlichtweg unmöglich ist, ohne den Verdienst der Mutter auszukommen, stört die Experten wenig.

Bis heute halten sich einige psychologische Konzepte, die weiter darauf ausgerichtet sind, die Mutter so eng an ihr Kind zu binden, daß ihr im Grunde keine Möglichkeit bleibt, eigenen, vom Kind unabhängigen Interessen nachzugehen. Dies gilt auch, um nur ein Beispiel zu nennen, für die NachfolgerInnen von John Bowlby und seiner nach dem Zweiten Weltkrieg entwickelten »Bindungstheorie«.[23] Grob vereinfacht besagt diese Theorie, daß zwischen Mutter und Kind durch das erste Saugen des Kindes an der Mutterbrust eine biologische Bindung (»bonding«) entsteht, deren Vernachlässigung (etwa durch die Berufstätigkeit der Mutter) beim Kind zu schweren Störungen führen kann. Die logische Forderung der Bindungstheorie ist daher, daß Mütter zu Hause bleiben sollen. Obwohl die Verläßlichkeit der Methode, mit der der Bindungsgrad von Kleinkindern gemessen wird, sehr umstritten ist, hat sich der Begriff »Bindung« seit einigen Jahren als *das* Modewort für die Bezeichnung einer positiven Mutter-Kind-Beziehung etabliert. Dabei wird Müttern immer wieder eingeredet, die Herstellung dieser Bindung sei allein ihre Verantwortung, und der Erfolg oder Mißerfolg ihres Kindes sei ausschließlich davon abhängig, ob sie es fertigbringen, ihre Kinder in den ersten ein bis anderthalb Lebensjahren liebevoll und zuverlässig genug zu versorgen. Allerdings bleibt es »das dreckige kleine Geheimnis der Psychologen, daß nach wie vor kein echter Beweis für die Existenz einer solchen grundlegenden Bindung vorliegt, und wenn es sie geben sollte, ob sie irgend etwas mit dem späteren Sozialverhalten und der Anpassungsfähigkeit eines Kindes zu tun hat«.[24]

Weniger wissenschaftlich, aber dafür nicht minder drastisch geht es auch in bekannten und verkaufsträchtigen Elternratgebern zu. Beispiel: »Das Eltern Buch 1«. Im Kapitel »Die häufigsten Ursachen für Fehlentwicklungen« findet sich eine Zusammenfassung der immer wieder gern zitierten Studie von René Spitz, der kurz nach dem Zweiten Weltkrieg (!) bei vernachlässigten Waisenhauskindern seelische Verkümmerung feststellte, weil ihnen die körperliche und emotionale Zuwendung durch die Mutter fehlte. Gleich im nächsten Absatz folgert der Autor messerscharf: »Ein Kind braucht eine (wichtigste) und möglichst noch andere Bezugspersonen für seine gesunde körperliche psychische Entwicklung. Vermeiden Sie deshalb im ersten Lebensjahr, wenn irgend möglich (und es ist fast immer möglich), eine langdauernde Trennung von Ihrem Kind.«[25] Die unterschwellige Drohung dabei ist: »... sonst verkümmert es ebenso wie die alleingelassenen Waisenkinder!« Dabei stört es den Autor wenig, daß diese Untersuchung über fünfzig Jahre alt und die Situation der von überarbeiteten Pflegerinnen betreuten traumatisierten Waisenhauskinder schlichtweg nicht vergleichbar ist mit der eines Kindes, das in seiner Familie aufwächst und zusätzlich von anderen betreut wird.

Hier wie in vielen anderen Ratgebern wird berufstätigen Müttern von kleinen Kindern mit unzulässigen Vergleichen ein schlechtes Gewissen eingeredet und das Gefühl vermittelt, sie setzten ihre Kinder in Betreuungseinrichtungen oder durch Tagesmütter, Au-pair-Mädchen etc. einer Gefahr aus. Denken Sie nur an den Film »Die Hand an der Wiege« oder die von den Medien so gern beschworene Gefahr von Kindesmißbrauch durch ErzieherInnen! Und so sind wir wieder bei dem Vorwurf an die Internet-Mutter, berufstätige Eltern schöben ihre Kinder in Kindergärten ab, um ihrem egoistischen Eigenleben zu frönen. Denn in Anbetracht von fast fünf Millionen Arbeitslosen steht das Recht von Frauen auf Berufstätigkeit wieder einmal schlecht im Kurs.

Alles unter Kontrolle

Der Druck, eine perfekte Mutter zu werden, setzt heute sogar wesentlich früher ein als in der Vergangenheit. Die medizinisch-technischen Möglichkeiten der vorgeburtlichen Diagnostik erlauben eine fast lückenlose Überwachung der Entwicklung des ungeborenen Kindes. Mit dem ersten Besuch bei der Frauenärztin gerät die Schwangere in das Räderwerk einer hochtechnisierten Apparatemedizin, die immer mehr und immer genauere Untersuchungsmethoden und Tests bereithält. Dem Druck, sämtliche medizinisch-technischen Möglichkeiten zum Wohle des Ungeborenen in Anspruch zu nehmen, können Frauen sich kaum entziehen.

Die Erwartung, die eigene Lebensweise weitestgehend auf das Wohl des Kindes einzustellen, setzt sich fort in Verhaltensregeln, die das Privatleben von Frauen massiv beeinflussen. So sollten Schwangere und Mütter darauf achten, sich und ihre Familien gesund zu ernähren, möglichst mit (teuren) ökologischen Produkten. Fastfood und Tiefkühlkost sind verpönt, ebenso wie Rauchen oder Alkohol während der Schwangerschaft. So heißt es im Ratgeber Kleinkinder von *öko-test*: »Die Lebensweise der Mutter ... ist entscheidend für die Qualität der Muttermilch. Häufiger Fleisch- und Wurstverzehr wirken sich negativ aus. Frauen, die sich über Jahre hinweg vegetarisch und außerdem von biologisch angebauten Produkten ernährten, hatten ... geringere Belastungen. Eine kurzfristige Ernährungsumstellung während der Schwangerschaft reicht dabei allerdings nicht aus, weil die Schadstoffe über mehrere Jahre hinaus im Körper gespeichert werden.«[26]

Demnach wäre es also das beste, Frauen begännen schon Jahre vor einer angestrebten Schwangerschaft, sich auf ihre künftige Rolle als Mutter vorzubereiten, um ihrem Kind die bestmöglichen Bedingungen zu schaffen.

Wieder wird die Mutter in den Mittelpunkt der Betrachtung gerückt, wieder hat sie die Alleinverantwortung für das Gedeihen des Kindes. Und was ist mit ihrer Umwelt? Während alle anderen um sie herum dem Konsum frönen, Fleisch, Wurst und Süßigkeiten verzehren, dazu Alkohol, Kaffee oder Zuckersäfte trinken, soll die zukünftige Mutter sich in weiser Voraussicht mit dem Öko-Bratling bescheiden? Verstehen Sie mich nicht falsch. Es geht nicht darum, eine gesunde Lebensweise zu verdammen, sondern die einseitige Fixierung auf die Frau und ihre (eventuelle) Mutterrolle.

Das Bild von der guten Mutter, das wir alle in uns tragen, erfährt zwar immer wieder kleine Änderungen, es wird jedoch niemals in seiner grundsätzlichen Ausgestaltung in Frage gestellt: Die Mutter als alleinverantwortliche, sorgende Hüterin der Kinder. Dieses Bild ist also mehr als ein Produkt seiner Zeit. Es huldigt einem Mythos, der sich aus der Sehnsucht einer schnelllebigen und verunsicherten Gesellschaft nach festen und unvergänglichen Werten speist. In einer Zeit, in der keine Religion und kein allgemeiner Wertekodex die Gesellschaft mehr zusammenhält, wird die Mutter-Kind-Bindung zur letzten Bastion der Tugend hochstilisiert. Und dieses letzte »heilige« Bollwerk darf keinesfalls durch eigene, also vom Kind unabhängige Wünsche und Bedürfnisse der Frau in Frage gestellt werden.

Shari Thurer spricht in diesem Zusammenhang von »eine(r) kollektive(n) Sehnsucht nach der perfekten Mutter. Genährt wird sie durch eine Religion, die uns die Muttergottes beschert hat, durch Märchen, in denen Taufpatinnen gute Feen sind, und eine Psychologie, die es versäumt hat, einige der herrschenden kulturellen Postulate in Frage zu stellen.«[27]

Was braucht mein Kind?

Wahrscheinlich haben Sie es schon immer gewußt: Kinder werden durch die Berufstätigkeit der Mutter weder verhaltensauffällig oder asozial noch dumm, aggressiv oder leistungsschwach. Allen pädagogischen und psychologischen Erziehungslehren zum Trotz haben Kinder gute Chancen, unbeschadet heranzuwachsen. »Die meisten derzeitigen Entwicklungspsychologen vertreten die Auffassung vom robusten, von biologischen Voraussetzungen und Prozessen geprägten Kind. Das heutige Kind reagiert sensibel auf gute wie schlechte Umweltbedingungen, aber es ist flexibel. Schlechte Erfahrungen haben nicht unbedingt eine dauerhaft schädigende Wirkung, noch haben gute Erfahrungen eine dauerhaft günstige. Eine schlechte Kindheit kann durch spätere gute Erfahrungen überwunden werden; eine gute Kindheit kann einen nicht vor den Traumata eines unglücklichen Erwachsenendaseins bewahren. Das heutige Kind ist kein Porzellanpüppchen, das bei dem ersten Ansturm seiner Umwelt zerbricht. Vielmehr ist unser Kind eine ziemlich zähe Plastikpuppe, sie ist bruchsicher, ihre Dellen beulen sich wieder aus, aber sie kann durch spätere Schläge erneut verbeult werden.«[28]

Der aktuelle Forschungsstand läßt sich also auf einen kurzen Nenner bringen: Zufriedene Mütter haben zufriedene Kinder – unabhängig davon, wie viele Stunden sie täglich zusammen verbringen. Fest steht aber auch, daß unglückliche, depressive Mütter einen deprimierenden Einfluß auf ihre Kinder haben. Und es gibt Studien die belegen, daß die unglücklichsten Frauen jene Mütter sind, die wegen der Kinder zu Hause bleiben, obwohl sie lieber berufstätig wären.

Es kommt also weder darauf an, daß Sie sich pausenlos selbst um ihr Kind kümmern, noch darauf, in welchen Familienverhältnissen Sie leben: ob sie verheiratet oder unverheiratet sind, alleinerziehend, in einer Wohngemeinschaft oder in einer ganz traditionellen Paar-Familie leben. Entscheidend sind vielmehr folgende Faktoren:

- daß Sie mit Ihrer Lebenssituation zufrieden sind und das Gefühl haben, nicht permanent eigene Wünsche und Bedürfnisse hintanstellen zu müssen;
- daß es innerhalb Ihrer Familie, wie immer sie aussieht, stimmt! Je gleichmäßiger alle Familienmitglieder zum Zuge kommen, desto besser geht es allen;
- daß eine gute Kinderbetreuung gewährleistet ist – wie immer sie aussehen mag!

Wenn Sie aufgrund Ihrer Berufstätigkeit das schlechte Gewissen plagt, dann lesen Sie, was der Pädagoge Prof. Dr. Peter Erath dazu zu sagen hat: »Das Kind braucht so viel Mutter, daß es die Beziehung zu ihr als verläßlich spüren und erleben kann. Es benötigt die Gewißheit, daß es einen Erwachsenen gibt (dies kann auch der Vater oder eine Pflegemutter sein), der ganz für es da ist.

Ganz für ein Kind dazusein muß nicht Allgegenwart bedeuten. Ganz für ein Kind dazusein meint, eine Beziehung von einzigartiger Qualität zu ihm aufzunehmen. Darin drückt sich aus: Du bist mein Kind, und immer wenn ich bei dir bin, wenn ich mit dir spiele, spreche oder etwas unternehme, geschieht dies gerne und weil ich dadurch sagen kann: ›Ich bin froh, daß es dich gibt.‹«[29]

Und was brauche ich?

Wenn wir die bisherigen Ausführungen über die Entstehung des heutigen Mutterbildes und die Bedürfnisse der Frauen heute betrachten, so tut sich ein gewaltiger Widerspruch auf: Auf der einen Seite haben wir den Muttermythos, der uns vorgaukeln will, es könne aufgrund der biologischen Mutter-Kind-Bindung für Frauen nichts Schöneres geben, als ein Kind zu bekommen und großzuziehen. Auf der anderen Seite befindet sich unser ganzes bisheriges Leben – das *nicht* unbedingt darauf ausgerichtet war, Mutter zu werden. Frauen, die heute Mutter sind oder werden, haben gelernt, eigene Wünsche und Lebenspläne zu entwickeln und zu verfolgen. Sie haben gelernt, Ehrgeiz zu entwikkeln, sich Wissen anzueignen, Prüfungen zu bestehen und sich in Schule, Ausbildung und Beruf durchzusetzen. Voraussetzung dafür ist, daß sie sich als Einzelwesen begreifen und nicht als Teil einer Familie, weil sie nur als eigenverantwortliche und selbständige Menschen den Anforderungen der modernen Gesellschaft entsprechen können.[30]

Dann kommt das erste Kind. Und von einem Moment zum anderen sollen Frauen die Bausteine ihres bisherigen Lebens aufgeben, als hätten sie nie existiert? Für die meisten ist das unmöglich. Sie haben eigene Wünsche und Interessen, Lebenspläne und berufliche Ziele, die sie – genau wie Männer – als Grundlagen gesellschaftlichen und persönlichen Erfolges anzusehen gelernt haben. Der Unterschied zwischen Männern und Frauen ist in diesem Fall nur, daß die andere (weibliche) Seite unserer Erziehung und Sozialisation uns einflüstert, wir könnten keine guten Mütter sein, wenn wir nicht bereit sind, zum Wohle unserer

Kinder alles andere zurückzustellen. Das schlechte Gewissen ist also zwangsläufig. Das ist allerdings längst nicht überall der Fall. Es ist fast schon egal, wo wir uns umsehen, ob in Frankreich, Belgien, Dänemark, England oder Schweden. Überall ist die Vereinbarkeit von Beruf *und* Mutterschaft selbstverständlicher und müheloser als bei uns. Auch in Ostdeutschland war das vor der Wiedervereinigung so. Mutterschaft und Berufstätigkeit war für ostdeutsche Frauen völlig normal und *machbar*, weil die Rahmenbedingungen in Form von Kinderbetreuungsmöglichkeiten dafür vorhanden waren. Inzwischen gleichen sich die Verhältnisse in Ost und West immer mehr an – leider in die verkehrte Richtung: Mehr und mehr Frauen in den neuen Bundesländern entscheiden sich gezwungenermaßen gegen Kinder oder gegen den Beruf.

Was können Sie tun, um vor diesem Hintergrund Ihren eigenen Weg zu finden? Natürlich lassen sich viele Hindernisse nicht von heute auf morgen beseitigen. Wir haben es weder in der Hand, über Nacht ausreichend Kinderbetreuungsmöglichkeiten entstehen zu lassen, noch können wir ad hoc die finanzielle Benachteilung von Familien mit Kindern aufheben (durch eine aktive politische Beteiligung können wir allerdings auch daran etwas ändern). Aber das ist zunächst gar nicht nötig. Wichtig ist für Sie erst einmal, alten Ballast abzuwerfen. Sie sollten in bezug auf Ihre Berufstätigkeit mit sich im reinen sein und sich nicht von Schuldgefühlen quälen lassen, denn die hängen Ihnen bei der Durchsetzung Ihrer Interessen wie Bleigewichte an den Beinen. Dazu ist es notwendig, sich *wirklich* klarzumachen, daß das Mutterbild in Ihrem Kopf ein Relikt aus dem 19. Jahrhundert ist und dringend in die Mottenkiste Ihrer Uroma gehört.

Tips & Tops zum Umgang mit alten Zweifeln

Um gegen Ihre Schuldgefühle anzugehen, sollten Sie sich folgende Tatsachen immer wieder klarmachen:

- Es ist mein Wunsch und mein Recht, berufstätig zu sein, und ich werde mich nicht dafür rechtfertigen.
- Menschen, die mich für meine Berufstätigkeit kritisieren, sind oft genug selbst unzufrieden mit ihrem Leben, können sich aber nicht daraus befreien.
- Der Muttermythos ist ein alter Hut, der mit dem heutigen Leben nichts mehr zu tun hat und nur politischen Interessen dient, die mich als Frau einschränken.
- Meine Berufstätigkeit wirkt sich positiv auf meine Partnerschaft aus.
- Meinem Kind geht es gut, wenn es mir gutgeht.
- Es ist schön, wenn mein Kind mehrere Bezugspersonen hat. Das entlastet mich und bedeutet für das Kind mehr Sicherheit.
- Entscheidend ist nicht die Menge der Zeit, die ich mit meinem Kind verbringe, sondern wie wir sie miteinander verbringen. Wenn ich mich auf mein Kind freuen kann und die Zeit mit ihm genieße, spürt es das. Darauf kommt es an.
- Es ist gut für mein Kind zu lernen, daß seine Mutter ebensolche Ansprüche und Bedürfnisse hat wie es selbst.
- Ich bin meinem Kind ein Vorbild. Es ist stolz darauf, eine erfolgreiche Mutter zu haben, und gewinnt daraus ebenso Selbstvertrauen wie ich.

3. Kapitel **Will ich – will ich nicht? – Wie ein Kinderwunsch entsteht**

Als ich zehn Jahre alt war, wurden wir in der Schule nach unserem Berufswunsch gefragt. Als ich an der Reihe war, stand ich auf und sagte, ich wolle Mutter werden. Die Klasse schrie vor Lachen! »Aber das ist doch kein Beruf«, rief einer. Ich bekam knallrote Ohren, setzte mich wieder hin und schämte mich. Von da an stand für mich fest, wer Kinder kriegen will, wird ausgelacht. Und diese Einstellung ging nahtlos über in die feministische Perspektive der siebziger und achtziger Jahre, derzufolge Familie und Mutterschaft als »feindliches Territorium« zu betrachten sei, als eine Fortsetzung der Knechtschaft im patriarchalen System, wenn die Mütter von den Feministinnen überhaupt zur Kenntnis genommen wurden. »Indem die Frauenbewegung den Kinderwunsch als Luxus betrachtet, den frau sich leisten kann oder nicht, hat sie die Mütter im Stich gelassen«, schreibt Maureen Freely in ihrem Buch »Kinder, Job und jede Menge Leben«.[31] Selbst schuld also, wer sich auf Partnerschaft und Familie einläßt?

Kinder – nein danke!

Wie ich lehnten es viele heutige Mütter als junge Frauen ab, Kinder zu bekommen. Da sie gleichzeitig einen klaren Berufswunsch entwickelten, schien ein Kind einfach nicht ins Lebenskonzept zu passen.

> Ich konnte mir als junges Mädchen, oder auch noch als junge Frau, überhaupt nicht vorstellen zu heiraten – ich wollte immer unabhängig sein: beruflich unabhängig, finanziell unabhängig, aber auch unabhängig von Menschen. Kinder wollte ich auch nie. Ich fand Kinder zwar immer ganz nett, dachte aber, Kinder haben mit mir nicht viel zu tun.
>
> *(Sylvia, 45, Lehrerin)*

Bei vielen Frauen kommt noch hinzu, daß sie das Vorbild der eigenen Mutter als Vollzeithausfrau und -mutter als sehr abschreckend empfanden und es im eigenen Leben unbedingt anders machen wollten.

> Früher habe ich gedacht, ich will um jeden Preis arbeiten, irgendwie. Ich will keine Frau sein, so wie meine Mutter, die nur zu Hause ist und dann ganz nörgelig wird und im Prinzip nicht weiß, was es heißt, arbeiten zu gehen. Die sich unnötigerweise um den Haushalt kümmert und das Zeug das dritte Mal wienert. *(Katrin, 30, Hebamme)*

Die meisten berufsorientierten Frauen wollten als junges Mädchen später keinesfalls Kinder bekommen oder fanden diese Frage damals noch nicht relevant. Nur ein Drittel wünschte sich sowohl einen Beruf als auch Kinder und ging davon aus, beides miteinander vereinbaren zu können. In einem Punkt waren sich jedoch alle Frauen einig: in der Überzeugung, keinesfalls in traditionellen Familienverhältnissen leben zu wollen, wo der Mann das Geld verdient, während die Frau ihren Beruf bis zur Geburt des ersten Kindes ausübt, um dann für längere Zeit zu Hause zu bleiben und sich um Nachwuchs und Haushalt zu kümmern.

Der Weg zum ersten Kind

Wenn so viele Frauen eigentlich nie Kinder bekommen wollen, stellt sich natürlich die Frage, wann und wie der dann realisierte Kinderwunsch überhaupt entsteht? Und hier zeigt sich wiederum bei fast allen beruflich engagierten Frauen eine Gemeinsamkeit: Unabhängig davon, ob sie als junges Mädchen eine positive oder negative Einstellung zum Kinderkriegen haben, entwickelen sie den Kinderwunsch relativ spät. Fast alle sind älter als 25 Jahre. Wohlgemerkt, die Rede ist hier vom Kinderwunsch, nicht von der Schwangerschaft, die logischerweise noch später eintritt.

Der Grund für diese späte Auseinandersetzung ergibt sich aus den Motiven des Kinderwunsches.* Es scheint nämlich, als sei bei fast allen Frauen das Hauptmotiv für eine Schwangerschaft das Gefühl, im Beruf ausreichend etabliert zu sein. Ein typisches Beispiel dafür liefert die folgende Aussage:

Es fing wirklich erst so mit 25, 26 an – also kurz bevor ich mit Carsten schwanger wurde –, daß ich gedacht habe, ja, warum eigentlich nicht? Also, ich habe jetzt einen bestimmten Abschnitt meines Lebens hinter mich gebracht, habe Abitur und eine Berufsausbildung gemacht, und ich hatte einen guten Job. Und dann ist es auch so, wenn im Umfeld die Kinder allmählich kommen, daß man dann darüber nachdenkt, ist das auch was, was auf dich zutreffen könnte? *(Sylvia, 45, Lehrerin)*

Den richtigen Partner gefunden zu haben und in einer ausreichend gefestigten Beziehung zu leben ist für die meisten Frauen ebenfalls ein wichtiger Aspekt, der die Entscheidung für ein Kind begünstigt, er ist aber nicht der ausschlaggebende Faktor.

Ganz anders sieht es aus, wenn eine Schwangerschaft, ob mit oder ohne feste Partnerschaft, das berufliche Fortkommen einer Frau ernsthaft gefährdet. In diesen Fällen fällt die Entscheidung eher gegen das Kind. Als Sabine mit siebzehn schwanger wurde, stand sie ein Jahr vor dem Abitur, und obwohl Kinder in ihrer Vorstellung zum Leben dazugehören, sagt sie über ihre damalige Situation: »Es war mir absolut klar, daß ich das Kind nicht haben will, weil ich erst fertig werden wollte. Das war eine klare Entscheidung damals.«

Offensichtlich achten heute mehr und mehr Frauen darauf,

* Ich gehe davon aus, daß auch ungeplante Schwangerschaften erwünschte Schwangerschaften sein *können* und nicht zufällig entstehen. Da die Entscheidung für ein Kind ein ungemein komplexer Vorgang ist, neigen viele Frauen dazu, sie »Natur/Schicksal/Zufall« zu überlassen, d. h. die Verhütung wird locker gehandhabt und eine Schwangerschaft in Kauf genommen. Bei allen von mir befragten Frauen war zum Zeitpunkt der Schwangerschaft ein mehr oder weniger ausgeprägter Kinderwunsch vorhanden, so daß die Schwangerschaft zwar in vielen Fällen ungeplant, aber nicht ungewollt zustande kam.

finanziell unabhängig zu sein, damit sie sich und ihre Kinder im Notfall auch ohne Hilfe des Partners versorgen können. Sie möchten sich nicht darauf verlassen *müssen*, daß ihre Partnerschaft stabil genug ist, um allen Belastungen standzuhalten.

Doch es gibt, neben einer festen beruflichen Einbindung, noch andere Impulse für einen Kinderwunsch. Einigen Frauen ging es ähnlich wie Johanna, die von sich sagt, ab einem gewissen Punkt hatte sie

> das Gefühl, daß es zum Leben dazugehört. Ich hatte in meinem Leben nie Angst, etwas zu wagen, sondern eher, etwas zu verpassen. Und irgendwann kam für mich die Vorstellung, ein Nicht-Kind könnte auch etwas sein, was ich später stark bereuen könnte, es verpaßt zu haben. *(Johanna, 38, Grafikerin)*

Auch Kinder im Freundeskreis können sich positiv und Mut machend auf den eigenen Kinderwunsch auswirken. Bei mir allerdings war eher das Gegenteil der Fall. Meine Freundinnen wurden fast im Rudel schwanger, gleich vier auf einmal, so daß ich mir die meiste Zeit ziemlich fehl am Platze vorkam, wenn die Gespräche gar zu sehr ins Detail gingen. Dies bestärkte mich darin, mit meiner Schwangerschaft noch ein bißchen zu warten und mir die Sache zunächst in Ruhe anzusehen.

Der Kinderwunsch des Mannes

Ist Ihnen aufgefallen, wie wenig hier bisher von den Partnern die Rede war? Das hat handfeste Gründe. Daß der Stand der Beziehung nicht das ausschlaggebende Kriterium dafür ist, ob Frauen sich für oder gegen ein Kind entscheiden, wurde bereits erwähnt. Andere Gründe liegen jedoch bei den Männern selbst. Diese zeigen sich heutzutage oftmals sehr zurückhaltend in der Formulierung eines Kinderwunsches. Nun ist Zurückhaltung nicht gerade eine typisch männliche Eigenschaft, doch die Erklärung für dieses Phänomen ist ebenso verblüffend wie einfach.

Regine Schneider und Bettina Stülpnagel liefern sie in ihrem Buch »Will ich wirklich ein Kind?«: »Früher war es tragisch, wenn der letzte Mann einer Familie starb, ohne einen Nachfolger zu hinterlassen. Das ist heute nicht mehr so wichtig. Die Werte haben sich geändert. Männern ist es zwar immer noch wichtig, eine Familie zu gründen. Um irgendwo anzukommen, einen sicheren Hafen zu finden. Aber wenn es nach den meisten Männern ginge, könnte so eine Familie gut aus nur zwei Personen bestehen: Aus seiner Partnerin und ihm. Nur, wenn diese Partnerin unbedingt ein Kind möchte, schließt er sich an. Selten ist der Mann heute der Initiator für ein Kind.«[32]

Ist das nicht erstaunlich? Da vergeht kaum ein Tag, an dem wir nicht in der Zeitung lesen, daß beruflich engagierte und hochqualifizierte Frauen heutzutage offensichtlich zu »Gebärverweigerinnen« werden, dabei sind es häufig die Männer, die immer weniger Wert auf Kinder legen!

Die männliche Zurückhaltung in Sachen Kinderwunsch könnte eine weitere Erklärung dafür sein, daß berufsorientierte Frauen bei der Auseinandersetzung mit der Kinderfrage in erster Linie an ihre eigene berufliche Absicherung denken. Allerdings sollte dies nicht dazu führen, die Meinung des Partners zu ignorieren. Das geht selten gut. Wenn Sie in einer Partnerschaft leben, kann die Entscheidung für ein Kind nur eine partnerschaftliche sein, schließlich müssen Sie *beide* mit dieser Entscheidung für den Rest Ihres Lebens klarkommen. Und wenn Sie Ihren Partner schon beim Entscheidungsprozeß für oder gegen ein Kind ausklammern, werden Ihnen schnell die Argumente ausgehen, sollten Sie eines Tages auf die Idee kommen, von ihm mehr Engagement im Haushalt und bei der Kinderbetreuung zu fordern.

Doch selbst wenn Sie den Eindruck haben, Ihr Partner wirke bei der Diskussion des Kinderthemas etwas unterkühlt, muß das noch lange nicht heißen, daß er keine Kinder möchte. Männer erleben den Kinderwunsch grundsätzlich anders als Frauen. Das starke, mitunter körperliche Sehnen nach einem Kind, das viele Frauen verspüren, ist Männern fremd. Und während jede Frau über 20, egal, ob sie dafür oder dagegen ist, immer wieder über das Thema Kinder spricht, es Freundinnen und Kolleginnen endlosen Gesprächsstoff bietet, ist das Thema unter kinderlosen Männern so gut wie tabu. Oder können Sie sich vorstellen, daß ein Mann einem Freund beichtet: »Ich wünsche mir ein Kind«?

Kinderlosen Männern wird in unserer Gesellschaft wenig Raum gegeben, sich mit diesem Thema offen auseinanderzusetzen. Oftmals ist die Partnerin die einzige, mit der er darüber sprechen kann. Da ist es nicht weiter erstaunlich, wenn er im Gespräch weniger emotional wirkt als sie. Hinzu kommt, daß Männer sich häufig aus ganz anderen Gründen Kinder wünschen als Frauen. Als in meinem Bekanntenkreis die ersten Kinder geboren wurden, konnte ich über die Sprüche, die einige der Jungväter plötzlich zum besten gaben, nur den Kopf schütteln. Meinem (damals noch kinderlosen) Mann klopfte beispielsweise einer seiner besten Freunde, der vorher nie als Macho aufgefallen war, auf die Schulter und sagte mit John-Wayne-Stimme: »Na, Junge, das mußt du auch noch hinkriegen!«

Ein Kind ist sichtbares Zeichen der männlichen Potenz. »Eine Familie mit Kindern ernähren zu können beweist immer noch, daß ein Mann erfolgreich und vertrauenswürdig ist.

Es gibt Männer, die wollen Kinder, weil sie denken, daß ihr Leben durch Kinder an Sinn und Bedeutung gewinnt. Es gibt auch Männer, die wollen ihre Partnerin durch Kinder an sich binden. Wieder andere wünschen sich ein Kind, weil sie sich wünschen, die Wunden, die ihre Väter ihnen geschlagen haben, am eigenen Kind wiedergutzumachen. Aber die treibende Kraft ist und bleibt in den meisten Fällen die Frau«, heißt es bei Schneider und Stülpnagel.[33] Das alles kann völlig in Ordnung sein, solange Sie mit Ihrem Partner offen darüber sprechen und eine gemeinsame Entscheidung anstreben.

Mein beharrliches Drängen auf die Einbeziehung Ihres Lebensgefährten bei der Entscheidung für ein Kind hat gute Gründe, gerade weil so viele Frauen dazu neigen, die Haltung des Partners nicht ernst genug zu nehmen. Auch wenn es sicher vernünftig ist, auf berufliche und damit auch finanzielle Unabhängigkeit zu achten, darf dies nicht zur Folge haben, daß die Auffassung des Mannes (und Unentschlossenheit ist auch eine Einstellung!) einfach übergangen wird. Schließlich betonen fast alle Frauen, sich ein Kind nicht um jeden Preis zu wünschen und ihre Partnerschaft nicht durch einen Überraschungscoup aufs Spiel setzen zu wollen. Genau diese Gefahr ist jedoch in doppelter Hinsicht gegeben, wenn Sie eine abweichende oder die scheinbar unentschlossene Haltung Ihres Partners übergehen und auf eigene Faust vollendete Tatsachen schaffen. Ignorieren Sie die Haltung Ihres Partners bei der Entscheidung für ein Kind, schließen Sie ihn von Anfang an aus der Familienbildung aus und machen das Kinderkriegen zu Ihrer Privatangelegenheit: Damit rollen Sie ihm quasi selbst den roten Teppich aus, auf dem er sich dann aus der Verantwortung begeben kann. Wieso sollte er mit Feuereifer Vaterpflichten übernehmen, wenn er im Vorfeld gar nicht gefragt wurde oder wenn seine Bedenken übergangen wurden?

Besonders gravierend ist dies bei voll berufstätigen Männern, die sowieso wenig Gelegenheit zum Umgang mit ihren Kindern haben. Damit wird häufig eine gefährliche Entwicklung in Gang gesetzt: Die frischgebackene Mutter bleibt zeitweilig zu Hause, während der Partner weiterarbeitet. Die vorher abgelehnten traditionellen Rollenmuster vertiefen sich, und jeder der Partner zieht sich in »seinen Bereich« zurück. Frustration setzt ein, und das Paar driftet auseinander. Hermann Bullinger stellt dazu folgendes fest:

»Schon bei der Zeugung geht es in vielen Fällen primär um das Kind und um die eigenen, in diesem Falle weiblichen Bedürfnisse und Erfahrungen. Das Verhältnis von Vater und Mutter zueinander erscheint demgegenüber erheblich unwichtiger. Das spätere Auseinanderdriften von Eltern- und Liebesbeziehung ist, wenn man so will, in gewisser Weise schon vorprogrammiert, wenn ein Kind nicht das Produkt von Liebe und sexueller Lust ist, sondern als etwas Eigenständiges gewollt wird. Elternwerden und -sein wird hier zum Selbstzweck.«[34]

Mit einer so getroffenen Entscheidung gerät also Ihre Beziehung in Gefahr, weil Sie Ihren Wunsch nach einem Kind über die Bedeutung der Partnerschaft stellen. Es ist meines Erachtens kein Zufall, daß viele Alleinerziehende berichten, ihr Partner habe sich bei der Entscheidung für oder gegen ein Kind dagegen ausgesprochen oder die Entscheidung ganz der Frau überlassen, nach dem Motto: »Entscheide du das, ich mache dann schon mit.« Seien Sie auf der Hut! Eine solche Einstellung heißt nichts anderes, als daß er schon im Vorfeld Ihnen die ganze Verantwortung zuschiebt. Die Annahme, er werde es sich schon anders überlegen und von sich aus mit anpacken, wenn das süße Baby erst einmal da ist, erweist sich fast immer als Trugschluß. Aus diesem Grund sollten Sie genau hinhören, wenn Sie sich mit Ihrem Partner über das berühmte »Was-wäre-wenn« austauschen.

Hanne war 29, als es mit der Kinderfrage ernst wurde. Sie hatte ihr Studium beendet und stand mitten im Berufsleben. Ein Kind war zwar nicht geplant, trotzdem wäre für sie nichts anderes in Frage gekommen, als es auszutragen. Sie fühlte sich bereit für ein Kind und hatte eine Partnerschaft, von der sie glaubte, sie würde Bestand haben. Mit ihrem Freund hatte sie die Was-wäre-wenn-Frage bereits besprochen:

> Da war es schon so, daß er die Entscheidung mir überließ, und ich habe gesagt, ich bin zu alt, ich kann jetzt nicht mehr abtreiben, ich habe keinen Grund, das zu tun. Er meinte, er würde das mittragen, wofür ich mich entscheide … Für ihn wäre allerdings ganz wichtig, daß das Kind ihn nicht an seinem beruflichen Werdegang hindert.
>
> *(Hanne, 38, Lehrerin)*

Als Hanne dann schwanger wurde, versicherte der Freund ihr erneut, daß er ihre Entscheidung unterstützen würde. Zu dieser

Zeit befand er sich gerade für ein Jahr im Ausland – und das blieb er auch, bis auf die letzten drei Monate der Schwangerschaft. Kurz nach der Geburt ging er für ein Verlängerungsjahr wieder ins Ausland, und Hanne blieb mit dem Baby allein. Es war schon fast so, als ob sie von Anfang an alleinerziehend gewesen wäre, sagte sie später. Als das Baby ein Jahr alt war, heirateten die beiden, und Hanne meint dazu:

> Vielleicht dachte ich, daß er zusätzlich durch diese Heirat irgendwann mehr da ist oder vielleicht tatsächlich mehr für uns sorgt. Nicht nur im materiellen Sinne, sondern auch für das Seelische mitsorgt.

Kurz darauf zog die Familie gemeinsam ins Ausland. Der Mann trat ein Stipendium an und lernte seine »Traumfrau« kennen. Es kam zur Trennung.

Vielleicht hätte Hanne ein wenig genauer nachfragen sollen, als sie mit ihrem Partner die Kinderfrage besprach und er mit »Entscheide du mal, ich trage es dann schon mit« einen eleganten Haken schlug. Schließlich geht es hier nicht um irgend etwas, sondern um die Gestaltung Ihres gemeinsamen zukünftigen Lebens. Können Sie sich vorstellen, daß es ein Mann seiner Frau überläßt, ein Auto zu kaufen, und zu ihr sagt: »Entscheide du mal. Ich bezahle es dann mit«? Nein? Dann lassen Sie Ihren Partner nicht ausgerechnet bei der Kinderfrage, die doch von so viel größerer Tragweite ist, ohne eine klare Stellungnahme davonkommen. Finden Sie durch genaues Nachfragen und Hinhören heraus, was er wirklich denkt, damit Sie am Ende nicht feststellen müssen, daß er Ihnen nicht nur die Entscheidung, sondern auch die Gesamtverantwortung für das Kind überlassen hat – und das für die nächsten zwanzig Jahre.

Dort, wo eine indifferente oder ablehnende Haltung des Mannes und die Überzeugung der Frau, daß Kinder zum Leben einfach dazugehören, in einer Partnerschaft zusammentreffen, wird es problematisch. Aber seien wir ehrlich: Haben wir uns nicht schon aus viel banaleren Gründen von Männern getrennt? Weil sie lieber auf unserer Couch hockten und Chips und Computermagazine verschlangen, statt mit uns Sport zu treiben oder auf Feten zu gehen; oder weil sie unsere Schmutztoleranz Monat für Monat bis an die Schmerzgrenze ausreizten? Versuchen Sie besser nicht, sich einzureden, die Unterschiede in einer so bedeutsamen Lebenseinstellung ließen sich folgenlos übergehen oder ignorieren. Es funktioniert so gut wie nie! Viele Alleinerziehende berichten, daß in ihrer früheren Beziehung genau diese Konstellation anzutreffen war. Rechtzeitig die Wahrheit herauszufinden tut vielleicht weh, aber das tun Trennungen in Familien mit Kindern erst recht.

Riskant wird es auch dann, wenn Sie das Kinderkriegen mit allzuviel Romantik angehen, nur das süße Baby und das elterliche Glück vor Augen haben und sich im Vorfeld keine konkreten Gedanken darüber machen, welche Konsequenzen eine Schwangerschaft auf Ihr Leben wirklich haben wird. Natürlich können Sie das nicht in allen Einzelheiten vorhersehen (und planen), aber gewisse Auswirkungen auf Beruf, Partnerschaft und Privatleben sollte sich jede von uns vergegenwärtigen, auch ohne daß wir dazu erst zwei Kinder gebären und aufziehen müssen.

Dagmar hatte kaum konkrete Vorstellungen, als sie mit 29 Jahren schwanger wurde, und sie würde es kein zweites Mal so angehen, sagt sie heute.

> Also, ich bin da ganz blauäugig rangegangen. Ich habe mir nicht viele Gedanken gemacht. Ich dachte wirklich, es läuft alles so weiter. Klar kommt ein Kind dazu, das Leben wird sich verändern, aber ich gehe weiter arbeiten, meine Freunde bleiben. Das Ganze war für mich schon ein Sprung ins kalte Wasser. Weil sich alles verändert hat. Dieses Kind kam und war ein ganz selbständiges Wesen, eine Persönlichkeit, die man vorher auch gar nicht kennt. Die Freunde springen ab, man muß sich ganz anders orientieren. Ich bin mit dem Partner das erste Mal zusammengezogen … Also so blauäugig würde ich kein zweites Mal rangehen. *(Dagmar, 37, Gestalterin)*

Zugegeben, angesichts der Tatsache, daß die Mehrheit der Frauen sich heute Beruf *und* Familie in ihrem Leben wünscht, ohne daß es dafür geeignete Vorbilder gibt, ist es nicht leicht, konkrete Vorstellungen darüber zu entwickeln, wie ein Kind das eigene Leben verändert. Trotzdem: Wenn Sie sich nicht bereits als blutjunges Mädchen eine Familie mit Kindern gewünscht haben, werden Sie irgendwann vor der Frage stehen: »Will ich oder will ich nicht?« Dann ist es an der Zeit, sich um- und genau hinzusehen (vielleicht das eine oder andere gute Buch zu lesen!), um möglichst genaue Vorstellungen zu entwickeln. Und das geht am besten, bevor Sie schwanger sind! Sonst ist der Ärger zwangsläufig, wie bei Dagmar, deren Beziehung den unerwarteten Belastungen nicht standhielt![35]

Ich glaube, wir haben das nie richtig diskutiert, muß ich im nachhinein sagen ... Während wir darüber geredet haben, hieß es gleich: Ja, er kann sich das alles vorstellen, auch mit dem Zuhausebleiben und sich ums Kind kümmern. Die Realität sah dann anders aus. Sie sah schon so aus, daß ich meine Arbeit runtergestockt habe, d. h. ich mußte mich dann um zwei kümmern. Im Prinzip habe ich darauf verzichtet, arbeiten zu gehen. Das war auch ein Problem. Die Beziehung ist dann kaputtgegangen.

Das heißt natürlich nicht, daß bei allen Alleinerziehenden die Probleme voraussehbar waren oder sie sich immer frühzeitig abzeichnen. Dennoch gibt es im Zusammenhang mit der Kinderfrage bestimmte Umstände, die Partnerschaftsprobleme begünstigen, die jedoch auch wahrgenommen bzw. vermieden werden können. Dazu gehören, wenn Sie sich selbst Kinder wünschen:

- eine negative bzw. unbestimmte Haltung des Partners zur Kinderfrage
- die Annahme, die Dinge würden sich schon regeln, wenn das Kind erst da ist
- unklare Vorstellungen über die Bedeutung von Schwangerschaft und Kindern, gepaart mit einer lax betriebenen Verhütung.

Was können Sie tun?

Egal aus welchen Gründen Sie sich für ein Kind entscheiden, wichtig ist, daß Ihr Entschluß nicht auf stereotypen oder romantisch-verklärten Vorstellungen beruht, die sich nach der Geburt schneller in Wohlgefallen auflösen, als Sie eine Windel wechseln können. Das ist nicht ganz einfach, vor allem wenn Sie bereits einen ausgeprägten Kinderwunsch verspüren und jeder schwangeren Frau sehnsüchtig auf den Bauch gucken. Trotzdem muß es sein. Neben aller Freude bedeutet ein Kind für Ihr zukünftiges Leben ein solches Maß an Einschränkung, Verantwortung und Belastung, daß Sie die Entscheidung über »ob« und »wann« nicht nur Ihrem Gefühl überlassen sollten. Überprüfen Sie daher Ihre Motive und treffen Sie die Entscheidung gemeinsam mit Ihrem Partner. Stereotype oder romantisch-verklärte Ansichten, denen Sie unbedingt auf die Schliche kommen sollten, sind:

- Ein Kind ist die Krönung einer Partnerschaft (siehe Kapitel 7).
- Ein Kind bringt bestimmt frischen Wind in meine Beziehung.
- Mein Partner will kein Kind, aber wenn das Baby erst einmal da ist, wird sich schon alles regeln, und er ist bestimmt begeistert.
- Alle meine Freundinnen haben Kinder, und meine Mutter fragt auch schon dauernd nach. Also wird es jetzt Zeit.
- Mit einem Kind werde ich nie mehr einsam sein.
- Erst durch ein Kind werde ich richtig zur Frau.

Vielleicht können Sie bei Ihren Überlegungen auch von den Erfahrungen derjenigen Frauen profitieren, die sich für ein zweites oder drittes Kind entscheiden. Für diese ist der ausschlaggebende Faktor in bezug auf die weitere Familienplanung nämlich nicht mehr die eigene berufliche Sicherheit, sondern ihre Zufriedenheit mit der Verteilung von beruflicher und häuslicher Arbeit und der Kinderbetreuung – sprich: die Mitarbeit des Partners.

Auch wenn die meisten Frauen mit ihrer beruflichen Situation völlig zufrieden sind, wünschen sich nur die wenigsten von ihnen weitere Kinder. Dagegen ist die Mitarbeit des Partners im

Haushalt und bei der Kindererziehung von höchster Bedeutung für einen weiteren Kinderwunsch. Dort, wo die Verteilung von Hausarbeit und Kinderbetreuung stimmt, ist Platz für einen weiteren Kinderwunsch, während Frauen, die in diesem Bereich Probleme haben, kein weiteres Kind wollen. Ich denke, es kann durchaus hilfreich sein, in dieser Frage schon bei der Entscheidung für das erste Kind genauer hinzusehen.

Tips und Tops zur Kinderfrage

- Erforschen Sie Ihre Motive für einen Kinderwunsch (siehe »Anleitung zum Alleinerziehen«).
- Klären Sie die Kinderfrage mit Ihrem Partner rechtzeitig, fair und offen ab.
- Warten Sie nicht, bis Sie bereits unter Druck stehen.
- Beantworten Sie sich die Frage »Wer von uns will wirklich ein Kind? Ich, er oder wir beide?«, und treffen Sie keine Entscheidung über den Kopf Ihres Partners hinweg.
- Lassen Sie nicht zu, daß er die Entscheidung auf Sie abwälzt. Jeder Mann hat eine Meinung zur Kinderfrage. Finden Sie sie heraus.
- Tauschen Sie mit Ihrem Partner unbedingt Ihre Vorstellungen von der zukünftigen Gestaltung von Beruf, Familie und Partnerschaft aus.
- Wenn sich der Kinderwunsch in Ihnen bemerkbar macht – machen Sie sich schlau! Versuchen Sie möglichst konkrete Vorstellungen davon zu gewinnen, was ein Kind alles verändern würde und wie Sie damit umgehen möchten.
- Gucken Sie bei Freunden und Bekannten mit Kindern genau hin. Vielleicht können Sie sich an ihrem Beispiel einen Eindruck davon verschaffen, was es heißt, Kinder zu haben.

4. Kapitel **Jetzt wird es ernst – Vorbereitungen während der Schwangerschaft**

Es ist soweit! Sie sind schwanger, haben gemeinsam mit Ihrem Partner entschieden, das Kind zu bekommen, und nun geht es richtig los mit den konkreten Überlegungen. Wahrscheinlich sind Sie, wie die meisten anderen berufsorientierten Frauen, ganz sicher, daß es keiner Diskussion darüber bedarf, ob Sie nach der Geburt des Kindes weiterarbeiten oder nicht. Selbstverständlich unterstützt Ihr Partner Ihren Wunsch, nach einer gewissen Pause (deren Länge Sie bestimmen dürfen) wieder in den Beruf zurückzukehren.

Es drängt sich allerdings die Frage auf, was aus den 88 Prozent der westdeutschen Männer geworden ist (in Ostdeutschland waren es 81 Prozent), die zumindest 1993 noch fanden, eine Mutter gehöre zu ihren Kindern?[36] Berufsorientierte Frauen haben sich diese Männer, die alle zwischen 20 und 39 Jahre alt und damit im heiratsfähigen Alter waren, offensichtlich nicht gesucht. Dies nur als kleine ketzerische Anregung, die Sie bewegen soll, aus Ihrem Partner so genau wie möglich herauszukitzeln, wie *er* sich die Zukunft zu dritt vorstellt.

Lassen Sie die Köpfe rauchen

Nur wenige Männer haben vor der Geburt ihres ersten Kindes genauere Vorstellungen davon, welche Veränderungen der Nachwuchs in ihrem Leben bewirken wird. Die meisten glauben, für sie werde es mehr oder weniger so weitergehen wie bisher. Sie sehen sich in Gedanken vielleicht dem Baby ab und zu die Windeln wechseln oder den Kinderwagen um die Ecken schieben, aber im großen und ganzen sehen sie die wirklich großen Veränderungen eher im Leben ihrer Partnerin eintreten. Es ist ähnlich wie schon beim Kinderwunsch: Während Frauen das Kinderthema immer wieder einholt, findet unter Männern nur selten ein intensiver Austausch darüber statt. Deshalb ist es gut möglich, daß auch Ihr Partner keinerlei Erfahrung damit hat. Stellen Sie daher fest, wie Ihre beiderseitigen Vorstellungen aussehen, und reden Sie darüber. Je intensiver Sie sich austauschen, desto genauer können Sie Pläne schmieden. So lassen sich auch frühzeitig Mißverständnisse oder falsche Erwartungen ausschließen, die auf ungenügenden Austausch zurückzuführen sind.

Wir erinnern uns: Bei Hanne und ihrem späteren Mann Paul blieb während der ersten Gespräche einiges im unklaren. Paul erklärte zwar, er würde Hannes Entscheidung für das Kind unterstützen, machte allerdings die Einschränkung, für ihn sei ganz wichtig, »daß das Kind ihn nicht an seinem beruflichen Werdegang hindert«. Hanne erkundigte sich leider nicht danach, welche konkreten Vorstellungen er damit verband. Nach der Geburt des Kindes mußte sie feststellen, daß Pauls »Unterstützung« mehr ideellen als praktischen Wert haben sollte, denn sein ungehinderter »beruflicher Werdegang« machte es ihm unmöglich, sich an der Erziehung zu beteiligen. Das ist sicherlich ein extremes Beispiel, es soll Ihnen jedoch vor Augen führen, welche Folgen es haben kann, sich auf unausgesprochene, vermeintliche Übereinstimmungen zu verlassen.

Die meisten Paare entwickeln im Laufe der Schwangerschaft konkrete Vorstellungen davon, wer in der ersten Zeit nach der Geburt die Kinderbetreuung übernimmt, für wie lange dies der Fall sein wird und wie das anschließende Weiterleben gestaltet werden soll. Natürlich sagt das noch nichts über die Umsetzbarkeit dieser Vorstellungen aus, trotzdem haben sie dadurch eine gemeinsame Basis, von der aus sie ihr Modell weiterentwickeln können.

Was sagen die anderen?

Die meisten beruflich engagierten Frauen stoßen, wenn sie im Verwandtenkreis ihre Schwangerschaft bekanntgeben, auf positive Reaktionen. Nicht selten sind Mutter und Vater erleichtert, endlich »doch noch« Großeltern zu werden, und bieten in ihrer Vorfreude großzügige Unterstützung an. Ich kann Ihnen nur raten zuzugreifen – Oma und Opa sind oft wunderbare und unglaublich verläßliche Babysitter.

> Meine Mutter ist einfach die Mütterlichkeit in Person und berücksichtigt auch die Dinge, die mir wichtig sind. Sie ist einfach der beste Mensch, dem ich mein Kind anvertrauen kann. Ich mußte Sophia sogar mal zu ihr bringen, als sie krank war, und ich wußte, sie macht das so gut wie ich, sie ist so liebevoll und schmusig, das ist einfach unglaublich, es gibt niemand, der das besser macht. *(Johanna, 38, Grafikerin)*

Positiv sind auch die Reaktionen im Freundes- und Bekanntenkreis vieler Frauen, allerdings ist die Freude nach Einschätzung vieler dort am größten, wo ein ähnlicher Lebensentwurf vorhanden ist. Für Sie bedeutet das, daß die Reaktionen in Ihrem Umfeld mitunter weniger mit Ihnen und Ihrer Schwangerschaft zu tun haben als mit den Lebensentwürfen und Ansichten Ihrer Freunde und Bekannten.

> Ich finde, man hat sofort gemerkt, wer was für einen Lebensentwurf hat. Natürlich waren alle, die Kinder hatten, ganz begeistert und haben gesagt: »Du mußt dieses Kind bekommen, und überhaupt, wir helfen dir!«
>
> Bei denen, die keine Kinder haben wollen, hat man logischerweise Anklänge gehört wie: »Überleg dir das. Wie willst du das denn hinkriegen?« Und es gab eigentlich nur zwei Menschen, die sich diesen ganzen Sachen objektiv gegenüber geäußert haben. Aber ansonsten hat man eigentlich immer gemerkt, die wollen gerade Kinder, die haben sich gerade gegen Kinder entschieden, und so waren dann auch die Reaktionen auf die Schwangerschaft. *(Michaela, 30, Außendienstmitarbeiterin)*

Sie sollten es sich also nicht zu sehr zu Herzen nehmen, wenn die eine oder andere Freundin in Ihren Augen unverständlich reagiert. Die Chancen stehen gut, daß die Erklärung dafür allein bei Ihrer Freundin zu suchen ist und nichts mit Ihrer Lebensentscheidung zu tun hat. Allerdings ist es in diesem Fall notwendig, mit Ihrer Freundin offen über Ihre Gefühle zu sprechen, damit sich nicht unausgesprochene Mißtöne einschleichen können.

Eltern und Verwandte des Mannes zeigen in den meisten Fällen ähnliche Vorfreude auf den zu erwartenden Nachwuchs wie die der Frau. Dagegen kann ein Mann bei den eigenen Freunden mit einer bevorstehenden Vaterschaft kaum punkten. Während die Reaktionen von gemeinsamen Freunden und den Freunden der Frau als generell unterstützend und teilnahmsvoll empfunden werden, zeigen sich die »guten Kumpels« des Mannes, und von diesen vor allem jene, die selbst noch keine Kinder haben, oft desinteressiert und teilnahmslos.

> Er hatte auch Freunde, die noch keine Kinder hatten. Ich denke, wir waren die ersten Vorreiter in dieser Szene. Jochen hatte da mehr die männliche Ebene. Ich weiß noch, an einem Geburtstag war ich hochschwanger, und da haben die Jungs sich über mich lustig gemacht. Was ich für einen dicken Bauch hätte. Ich denke, viele konnten damit nicht umgehen, sie wollten darüber auch nicht reden.
>
> *(Dagmar, 37, Gestalterin)*

Verblüffenderweise zeigt sich kaum eine Frau erstaunt über solche Reaktionen; die meisten teilen die Einschätzung, das sei bei Männern eben so, bei Frauen reagiere das Umfeld nun mal stärker.

Sie sollten allerdings nicht unterschätzen, welche Konsequenzen dieser Unterschied für die innere Einstellung auf die Elternschaft haben kann. Während Kinder für Frauen, ob mit oder ohne eigene Erfahrungen, immer Gesprächsstoff sind, ganz und gar aber während der Schwangerschaft, sind sie für kinderlose Männer offenbar nicht einmal dann ein Thema. Und wenn Ihr Partner ein solches kinderloses Männerumfeld hat, erhält er dort weder Unterstützung noch Anregung. In diesem Fall hat er vermutlich eine viel größere Distanz zum Kinderthema als Sie, was sich – zumindest anfänglich – durchaus in seinem Verhältnis zum Kind widerspiegeln kann. Vor allem aber dürfen Sie davon ausgehen, daß er keine realistische Einschätzung bekommen kann, was ein Kind für Ihr zukünftiges Leben bedeutet. Kurz und gut: Ihr Partner braucht Nachhilfeunterricht, damit auch er eine Vorstellung davon entwickeln kann, was sich nach der Geburt eines Kindes in Ihrem Leben ändern wird.

Wie sag ich's meinem Chef?

Die Mehrzahl der Arbeitgeber reagiert durchaus positiv auf die Nachricht einer Schwangerschaft, vorausgesetzt, Sie rechnen nicht mit einem Freudentanz. Denn den werden Sie vermutlich nicht zu sehen bekommen, schließlich ist Ihr Chef nicht mit Ihnen verwandt. Geben Sie sich mit verhaltener Anteilnahme zufrieden und konzentrieren Sie sich im Gespräch mit ihm vor allem auf die beruflichen Aspekte Ihrer Schwangerschaft. Das ist die beste Voraussetzung, um eine für beide Seiten zufriedenstellende Regelung zu finden.

Arbeitgeber reagieren vor allem dann positiv, wenn die Vertretung einer Arbeitnehmerin keine allzu großen Schwierigkeiten mit sich bringt und / oder diese konkrete Vorschläge für ihre Vertretung beziehungsweise Weiterarbeit machen kann. Aber auch in Bereichen, in denen der Frauenanteil (leider) nur sehr gering ist, wie in Führungspositionen beispielsweise, lassen sich familiengerechte Arbeitszeitmodelle durchsetzen, wenn die Argumente stimmen. Carolin betrat als leitende Geschäftsführerin mit ihrer Schwangerschaft völliges Neuland, trotzdem traf sie mit ihren Vorstellungen auf offene Ohren. Die Reaktion ihrer Arbeitgeber beschreibt sie folgendermaßen:

> Nach der Meldung an den Arbeitgeber war da natürlich mehr oder weniger verhaltenes Abwarten, kriegt sie das denn hin? Weil das noch nie dagewesen ist und sicherlich auch die Frage im Raum stand, wie geht

das denn, daß jemand, der immerhin ein Haus mit 140 Mitarbeitern leitet, ein Kind kriegt und trotzdem die Geschäfte führen will, was ja nach tradierten Rollenvorstellungen der Männer so nicht bekannt, üblich, erfahren oder selbst erlebt wurde ...
Also ich hatte die Möglichkeit, das nach meiner Vorstellung zu formulieren, und habe da auch Rückhalt gekriegt. Sie waren voll einverstanden mit der zeitlichen Gestaltung [30 Stunden pro Woche, nach Ablauf der Mutterschutzfrist] und haben in der Frage wirklich vollstes Vertrauen in das gesetzt, was ich plante. Auch die Mitarbeiter haben mich da unglaublich viel unterstützt und ihren Part dazu beigetragen, daß das alles ging. *(Carolin, 36, Geschäftsführerin)*

Es ist durchaus nicht zu früh, sich schon vor der Schwangerschaft Gedanken darüber zu machen, wie es im Fall der Fälle beruflich weitergehen könnte. Vor allem dann nicht, wenn Sie trotz Kind nicht aussetzen möchten und vielleicht darauf spekulieren, daß Ihr Partner zu Hause bleibt. In diesem Fall sollten Sie sogar unbedingt noch vor der Schwangerschaft die Fühler ausstrecken, damit Sie sichergehen können, nicht auf den falschen Mann gesetzt zu haben.

Aber auch in allen anderen Fällen ist es ratsam, sich spätestens am Anfang einer Schwangerschaft zu überlegen, wie Ihre Vertretung geregelt werden könnte, ob Sie in der Babyzeit vielleicht eine Zusatzqualifikation erwerben möchten und welches Arbeitszeitmodell Ihnen zusagen würde. In der Regel deuten Arbeitgeber solche konstruktiven Vorschläge als das, was sie sind: Zeichen Ihres beruflichen Engagements. Selbst in Bereichen, in denen Chefs keine Erfahrungen mit schwangeren Mitarbeiterinnen haben, wie im Außendienst oder in Führungspositionen, zeigen sie sich mitunter konkreten Vereinbarkeitslösungen gegenüber durchaus aufgeschlossen. Schwieriger wird es, wenn Ihre Vertretung nur schwer einzurichten ist oder Sie gar nicht angestellt, sondern selbständig arbeiten. Stellen sich Arbeitgeber oder Auftraggeber in einem solchen Fall quer, können Sie relativ wenig tun. Versuchen Sie, konkret zu sein und, sofern dies möglich ist, eine Übergangslösung mitzugestalten. Vielleicht bieten sich Ihnen auch während der Ausstiegszeit noch Möglichkeiten, Ihr Interesse zu zeigen und Ihren Chef oder Auftraggeber eines Besseren zu belehren.

Wie sagt er's seinem Chef?

Kein Problem, berichten die meisten Frauen, ohne sich viel dabei zu denken. Schließlich gehen die meisten Arbeitgeber davon aus, daß sich durch die Schwangerschaft der Partnerin im Berufsleben des Mannes nichts ändern wird. Das macht es allerdings nicht einfacher für jene Männer, die Erziehungsurlaub nehmen oder ihr Arbeitszeitmodell verändern wollen, um mehr Zeit für das Familienleben zu haben. Allerdings wächst die Zahl der Männer, deren Lebensläufe nicht mehr von Anfang bis Ende von durchgehender Berufstätigkeit, womöglich an ein und demselben Arbeitsplatz, gekennzeichnet sind. Abgesehen von jenen, die durch Arbeitslosigkeit zum Aussetzen gezwungen sind, entscheiden sich immer mehr Männer nach mehrjähriger Berufstätigkeit für eine Umschulung, Weiterbildung oder ein Studium, andere machen sich selbständig, reduzieren ihre Arbeitszeit oder werden zeitweilig Hausmann.

Je mehr solche »Brüche« im Lebenslauf von Männern zur Normalität werden, desto größer wird hoffentlich auch die Akzeptanz von Teilzeit arbeitenden Männern oder Vollzeitvätern. Vielleicht kommt sogar der Tag, an dem ein Mann, der bei seinem Chef Erziehungsurlaub einreicht, sich nicht mehr fragen lassen muß, *warum* er das tut. Diese Frage fällt nämlich nicht, weil es einem Arbeitgeber zufällig entgangen wäre, daß sein Mitarbeiter Nachwuchs erwartet, sondern weil er sich nicht vorstellen kann, was seinem (männlichen) Angestellten am Arbeitsplatz derart Schlimmes angetan wurde, daß er lieber »ein solches Schicksal« auf sich nimmt, statt weiterhin berufstätig zu sein, wie es sich gehört.

Sowohl Erziehungsurlaub als auch Teilzeitarbeitsmodelle für Männer sind möglich und machbar. Auch wenn es einzelne Arbeitgeber gibt, die einem Mitarbeiter schon wegen eines solchen

Gedankenspiels am liebsten kündigen würden (weil ihm wohl der »richtige Biß« fehlt), ist dies nicht die Regel. Und wir sollten bedenken, daß auch Frauen durch eine berufliche Pause Nachteile erfahren, besonders dann, wenn die Ausstiegszeit relativ lang ist (also etwa die vollen drei Jahre). Nur erhebt hier kaum jemand Protest, und es sind erst im Ansatz Überlegungen im Gange, diese Nachteile etwa durch sogenannte »Kontakthaltemaßnahmen« zu reduzieren. Schließlich sind es *Frauen* mit Kindern, und die gehören sowieso... Kehrt dagegen ein Mann aus dem Erziehungsurlaub zurück und muß sich gegen Vorurteile wehren und altes Ansehen erst wieder erkämpfen, wird dies viel eher als Diskriminierung empfunden und benannt. Wir sollten daraus lernen; aber wir sollten auch aufhören, Männer für etwas zu bedauern, was wir bei Frauen tolerieren, weil wir es als zwangsläufig ansehen.

Ich habe festgestellt, daß Männer ihre Teilzeitwünsche auf ganz verschiedene Arten durchsetzen können. Am einfachsten ist es in Berufsfeldern, in denen Ausfälle und Reduzierungen klar geregelt sind und für die betrieblichen Abläufe keine Nachteile bedeuten. Dies ist beispielsweise in Großunternehmen mit entsprechenden Betriebsvereinbarungen oder im öffentlichen Dienst der Fall – bei Lehrern beispielsweise.

Sylvia und Klaus vereinbarten, gleich nach der Geburt ihres Kindes den Erziehungsurlaub zu teilen und in dieser Zeit jeweils auf 18 Wochenstunden zu reduzieren. Klaus' Schulleiter reagierte darauf durchaus freundlich:

> Es hieß erst mal nur schön und toll, vielleicht kam auch das eine oder andere Mal die Frage: »Wie kriegt ihr das auf die Reihe?«, aber sonst war die Reaktion durchweg positiv. *(Sylvia, 45, Lehrerin)*

Natürlich erfordert es grundsätzlich mehr Arbeit und Abstimmung, einen Stundenplan auf die Bedürfnisse mehrerer Personen zuzuschneidern. Der Schulleiter muß einen Gesamtlehrplan berücksichtigen, es darf keine Überschneidungen mit dem Stundenplan des Partners oder der Partnerin geben, und frau selbst möchte einen möglichst effizienten Ablauf mit wenig Leerlauf zwischen den Unterrichtsstunden. Erwarten Sie nicht, daß die Abstimmung solcher Teilzeitmodelle ohne Reibereien abgeht. Taktisches Geschick und Hartnäckigkeit beim Verhandeln werden Sie in jedem Falle brauchen. Wenn Sie sich ein Regal nach eigenen Bedürfnissen selbst zusammenbauen, macht das auch mehr Mühe und Arbeit, als ein Standardteil zu kaufen und hinzustellen. Aber dafür haben Sie am Ende genau das, was Sie brauchen, und nur das zählt.

Selbst in Leitungsfunktionen in der freien Wirtschaft sind Teilzeitmodelle für Männer möglich. Als erfolgreich hat sich dort erwiesen, bereits erprobte Modelle aufzugreifen und zu übernehmen. Alexander, der als Abteilungsleiter arbeitet, wollte zur Geburt seines ersten Kindes auf 30 Stunden reduzieren. Während seine Partnerin nach der Geburt für ein Jahr Erziehungsurlaub nahm, einigte sich Alexander mit seinen Vorgesetzten auf ein Teilzeitmodell, das er sich bei seiner Vorgängerin und früheren Chefin abgeguckt hatte. Da das Modell – Reduzierung auf 30 Wochenstunden mit Einrichtung eines Kinderbetreuungstages – funktioniert hatte, gab es für seine Chefs keine überzeugenden Gegenargumente. Für sie war es wichtig, daß die Arbeit getan und die Abteilung geführt wurde, und Alexander bekam seine 4-Tage-Woche und den Betreuungstag für seinen Sohn.

Mitunter kann es aber hilfreich sein, ein wenig Druck anzuwenden, um die gewünschten Regelungen durchzusetzen. Natürlich muß jeder selbst einschätzen, ob dies in seinem Fall eine sinnvolle Vorgehensweise ist oder nicht. Bei Steffen, der in der Computerbranche arbeitet, war es jedenfalls erfolgreich. Als seine Chefin ihm die Arbeitszeitreduzierung verweigerte, überlegte er laut, ob er dann nicht doch die ganzen 3 Jahre Erziehungsurlaub nehmen solle (obwohl er insgeheim eine Riesenangst hatte, das am Ende wirklich tun zu müssen). Doch sein Pokerspiel ging auf. Vor lauter Schreck, seine Arbeitskraft am Ende ganz zu verlieren, ging die Chefin auf die Vorschläge ein und bot ihm darüber hinaus an, in Notfällen jederzeit unbezahlten Urlaub nehmen zu können.

Ob Ihr Partner ganz aufhören oder nur ein paar Stunden reduzieren will, ob er vier Tage die Woche arbeitet oder es vorzieht, jeden Tag im Betrieb zu erscheinen, sich aber nachmittags um halb drei auf den Weg zum Kindergarten zu machen, sollte sich ganz allein nach Ihren und seinen Bedürfnissen richten. Wichtig ist, daß alle diese Modelle funktionieren und durchgesetzt werden können, wenn Sie und Ihr Partner Ihre Vorstellungen gründlich durchdenken, sich die richtigen Argumente überlegen und konkrete Vorschläge machen können.

Tips & Tops zur Vorbereitung auf das Kind

- Diskutieren Sie ausgiebig und detailliert mit Ihrem Partner über das, was sich in Ihrem Leben verändern wird: Ihr Berufsleben, Ihre Partnerschaft, Ihr Familienleben.
- Stellen Sie fest, welche Vorstellungen jeder von Ihnen von der Zukunft mit dem Kind hat. Formulieren Sie diese Vorstellungen so genau wie möglich.
- Wenn Sie es noch nicht getan haben, stellen Sie jetzt fest, welche Eckpfeiler Sie sich setzen wollen:
  Wann wollen Sie nach der Geburt weiterarbeiten?
  Wer macht für wie lange Erziehungsurlaub?
  Weiterarbeit mit wieviel Stunden?
  Kinderbetreuung ungefähr ab wann, wie und durch wen? ...
- Sprechen Sie mit Freunden und Bekannten, die Kinder haben, und fragen Sie sie nach ihren Erfahrungen.
- Erkundigen Sie sich über Ihre Rechte. Gehen Sie zum Betriebsrat, kaufen Sie sich einen Rechtsratgeber oder fordern Sie beim Bundesministerium für Familie, Senioren, Frauen und Jugend Informationsmaterial an.[37]
- Wenn einer oder Sie beide veränderte Arbeits(zeit)modelle anstreben: Bereiten Sie sich gründlich vor. Suchen Sie sich gute Argumente und entwickeln Sie konkrete Vorschläge, mit denen Sie auf Ihren Chef zugehen können.
- Wenn Ihr Partner aussetzen oder seine Arbeitszeit reduzieren möchte, sollte er sich umsehen, ob er nicht das Teilzeitmodell einer Kollegin übernehmen und als erfolgreiches Vorbild anführen kann.
- Erwarten Sie weder von Ihrem Chef noch von Ihren KollegInnen oder den Menschen in Ihrem Umfeld, daß diese sich genauso freuen wie Sie selbst. Ihr Kind hat für diese Menschen ganz andere Konsequenzen als für Sie. Außerdem reagieren andere auf das Kinderthema meist so, wie es ihrem eigenen Lebensentwurf entspricht, und der kann ganz anders aussehen als Ihrer.

5. Kapitel **Wie kriege ich es hin? – Schritt für Schritt zum passenden Familienfahrplan**

Auch wenn Sie kein Diorkleid im Schrank und keinen Le Corbusier-Sessel im Wohnzimmer stehen haben, ein Designerstück ist Ihnen als berufstätige Frau mit Mann und Kind sicher – Ihr Vereinbarungsmodell! Und genau wie bei einem Rohdiamanten können Sie auch bei Ihrem Vereinbarungsmodell davon ausgehen, daß es mit Sicherheit in dieser Form kein zweites Mal vorkommt, weil jede Familie einen individuell ausgetüftelten Fahrplan braucht, der auf ihre Bedürfnisse zugeschnitten ist. Organisatorisch gliedert sich ein solcher Familienfahrplan in die Bereiche Berufs- und Familienleben auf, die sich wiederum aus spezifischen Bestandteilen wie Arbeitszeiten, Kinderbetreuung, Haushaltsorganisation u. ä. zusammensetzen.

Ob Sie die erste Zeit mit dem Baby genießen können oder nicht, hängt also nicht von der Dauer Ihrer »Babyzeit«* ab, sondern davon, ob Ihr spezifischer Familienfahrplan wirklich mit Ihren Bedürfnissen übereinstimmt. Sind Sie mit dem Baby überwiegend allein oder werden Sie von Ihrem Partner (oder anderen) entlastet; sind Sie ans Haus gebunden oder können Sie hin und wieder mit Freundinnen losziehen; haben Sie Hilfe im Haushalt oder müssen Sie alle Arbeiten allein bewältigen? All diese Faktoren wirken sich entscheidend auf das Wohlbefinden einer frischgebackenen Mutter aus.

Die erste Zeit mit einem Neugeborenen ist – bei aller Euphorie – immer auch eine anstrengende und belastende Zeit. Ein Baby ist Tag und Nacht auf Sie angewiesen, chronischer Schlaf-

* Auf den Begriff Erziehungsurlaub habe ich bewußt verzichtet. Zum einen ist diese Zeit alles andere als ein »Urlaub«, zum anderen trifft er auf Selbständige und Frauen, die lediglich während der gesetzlichen Mutterschutzfrist zu Hause bleiben, nicht zu.

mangel läßt Sie manchmal wie ein Gespenst durch die Gegend wandeln, und jeder Tag bringt Unbekanntes mit sich, das durchlebt und verarbeitet werden muß. Angesichts solcher Belastungen entpuppt sich die Vorstellung, es genüge, ein Kind nur innig genug zu lieben, um alles, was damit verbunden ist, genießen zu können, im Realitätstest schnell als romantischer Trugschluß. Denn eine innige Mutter-Kind-Beziehung ist keine Garantie dafür, daß das Leben nach der Geburt generell als schön empfunden wird und sich den Vorstellungen entsprechend entwickelt.

Es ist die Gesamtheit der Komponenten Ihres Vereinbarungsmodells oder Familienfahrplanes, die den Ausschlag dafür gibt, ob Sie sich später an die Babyzeit als an etwas Schönes oder eher an einen Alptraum erinnern werden.

Darüber hinaus hat das Gelingen eines Familienfahrplans wesentlichen Einfluß darauf, ob eine Frau ihr Kind als pflegeleicht und ausgeglichen oder als anstrengend und launisch empfindet. So neigen Frauen, die sich ausreichend unterstützt fühlen, dazu, ihr Kind positiver zu beschreiben als jene, die sich alleingelassen und überfordert fühlen.

Damit auch Sie sich einen eigenen Familienfahrplan erstellen oder Ihren bereits vorhandenen überprüfen können, möchte ich Ihnen im folgenden aufzeigen, wie andere Frauen ihr Vereinbarungsmodell gestaltet haben und auf was es dabei ankommt.

Wichtig: Der Partner und das Umfeld

Früher dachte ich, neun Monate Schwangerschaft seien eine lange Zeit, um sich auf das Erscheinen eines Babys vorzubereiten. Das war ein Irrtum! Als mein Mann und ich nach der Geburt unserer Tochter nach Hause fuhren, waren wir heilfroh, ein kinderprobtes Paar bei uns zu haben, das uns begleitete. Und als die beiden sich schließlich verabschiedeten, hätte ich ihnen am liebsten nachgerufen: »Bleibt doch noch! Was soll ich denn jetzt machen mit dem Baby?« Vorbereitungskurse und Schwangerschaftslektüre hin oder her – wir fühlten uns hilflos und unsicher.

Trotzdem war diese erste Zeit mit dem Säugling rückblickend für mich eine schöne Zeit, weil mein Mann und ich Gelegenheit hatten, uns auf die neue Situation einzustellen, und sie gemeinsam erleben konnten. Als Freiberufler hatten wir unsere Arbeit so eingeteilt, daß wir uns in den ersten Wochen nach der Geburt viel Zeit für das Kind und unser neues Leben nehmen konnten. Wir trugen das Kind abwechselnd durch die Nächte, wechselten uns ab mit Wickeln und Ausschlafen und ertrugen die Ängste und Ratlosigkeit gemeinsam.

Johanna dagegen erlebte eine ganz andere Situation, denn als sie nach der Geburt ihrer Tochter nach Hause kam, mußte ihr Mann sofort ins Büro zurück, und sie blieb mit dem Kind allein.

> Es war wahnsinnig anstrengend. Ich habe kaum geschlafen und dauernd gedacht, ich mache was verkehrt. Ich hatte überhaupt keine Grundsicherheit als Mutter. Ich war völlig fremd in der Rolle, ich war emotional zwar völlig da, weil ich mein Kind so geliebt habe, aber ich hatte nicht die Sicherheit, ich mache das schon alles richtig. Das hat lang gedauert, bis ich mich da reingefunden habe, nach meinem Gefühl zu gehen und nach meinem Instinkt. Ich habe nur gedacht, alle sind bessere Mütter als ich. Irgendwie hatte ich das Gefühl, ins kalte Wasser gesprungen zu sein, und Angst, was verkehrt zu machen. Ich war überfordert auf der ganzen Linie. Nicht vom Gefühl her, vom Tun. Und ich war allein, total allein damit. *(Johanna, 38, Grafikerin)*

Versuchen Sie es einzurichten, daß Sie *beide* in den ersten Wochen Zeit haben, sich auf die neue Situation einzustellen. Partnerschaft, Freizeit, Hausarbeit, alles, was Ihr Leben bisher ausmachte, wird durch ein Kind praktisch über Nacht verändert. Da ist es besser, Sie haben einige Wochen Zeit, diese Veränderungen gemeinsam anzugehen.

Immer wieder berichten Frauen davon, ihr Partner habe anfangs mit dem Baby wenig anfangen können, weil es ihm zu zerbrechlich erschien und er Angst hatte, es anzufassen. Danach befragt, ob sie selbst ihr Baby denn nicht auch zerbrechlich fanden, heißt es: natürlich sei es auch ihnen so vorgekommen, aber …

Ist es nicht eine merkwürdige Konsequenz, sich aus Angst, man(n) könnte etwas verkehrt machen, nicht selbst um ein kleines Menschenkind zu kümmern und die Pflege jemand anderem zu überlassen? Dabei haben die wenigsten Frauen mehr Übung im Umgang mit Neugeborenen als ihre Partner. Sie haben lediglich ein größeres Verantwortungsgefühl, weil nach dem alten Klischee in ihren Köpfen sie und niemand anderes dafür vorgesehen sind.

Lassen Sie es nicht dazu kommen! Ihr Partner ist ebensogut in der Lage wie Sie, das Baby zu versorgen. Außerdem sind Neugeborene robuster, als wir glauben. Sie sind nämlich durchaus darauf eingestellt, von tollpatschigen Neu-Eltern in Empfang genommen zu werden, das kann Ihnen jede Kinderärztin bestätigen. Von meinem Arzt weiß ich, daß kein Tag vergeht, an dem nicht mehrere entsetzte Elternpaare ihren gerade vom Wickeltisch gefallenen Sprößling vorbeibringen, dem absolut nichts passiert ist.

Es geht nicht nur darum, daß Ihr Partner Sie bei der Kinderbetreuung entlastet, sondern auch um seine eigene emotionale Beziehung zum Kind. Schließlich nützt es Ihnen wenig, wenn Sie das Baby irgendwann abstillen, aber trotzdem nicht ohne Kind aus dem Haus können, weil Ihr Liebling sich nach Ihnen die Kehle wundschreit und Ihr Partner unterdessen verzweifelt.

Auch mit dem sogenannten »Stillvorteil« ist es so eine Sache. Sicherlich wird eine Mutter durch das Stillen zur zentralen Figur im Leben ihres Kindes. Trotzdem hat sie die Wahl zwischen einer Mutter-Kind-Symbiose und einem Leben zu dritt. Dies ist eine Entscheidung, die Sie bewußt treffen müssen. Eine exklusive Mutter-Kind-Beziehung birgt die Gefahr, daß Ihr Partner sich irgendwann ausgeschlossen und überflüssig fühlt. Und das wirkt sich nicht nur auf seine (Nicht-)Beziehung zum Kind aus und seine spätere (Nicht-)Beteiligung an der Betreuung, sondern möglicherweise auch auf Ihre Partnerschaft.

Es war so, daß mein Mann eifersüchtig wurde auf den Kleinen und sagte: »Um den kümmerst du dich, um mich nicht.«
Ich konnte das überhaupt nicht akzeptieren. Ich habe immer diesen Unterschied gesehen, er ein erwachsener Mann und hier ein Kind. Also

daß er sich so zum Kind machte an der Stelle, das konnte ich nicht akzeptieren. Damit habe ich sehr viele Schwierigkeiten gehabt. Ich konnte mich da nur schwer reinversetzen. Erst über Jahre habe ich das dann ein bißchen akzeptiert und eingesehen, na ja. Ich war an vielen Stellen auch viel enger mit dem Paul zusammen. *(Marion, 50, Lehrerin)*

Nicht wenige Männer ziehen irgendwann frustriert aus dem Schlafzimmer aus, weil sie sich nicht länger wie das fünfte Rad am Wagen fühlen wollen. Die Konsequenz davon ist gegenseitige Entfremdung.

Tatsache ist, je mehr sich ein Mann um einen Säugling kümmert, desto besser verstehen sich die beiden. Allerdings müssen Sie ihm dazu, besonders wenn Sie Ihr Baby voll stillen, bewußt Platz machen – und Sie müssen zulassen, selbst gelegentlich eifersüchtig auf die beiden zu sein. Trotzdem! Binden Sie Ihren Partner ein, damit alle in Ihrer Familie von der neuen Dreisamkeit profitieren können. Damit Sie und Ihr Partner weiterhin auch Paar bleiben können und damit jeder von Ihnen eine gute Beziehung zum Kind aufbauen kann. Ich kann Ihren Partner nur ermutigen, sein Recht auf das Kind klar und deutlich einzufordern – auch in Ihrem Interesse.

Wenn Ihr Partner nach der Geburt nicht bei Ihnen und dem Baby bleiben kann, brauchen Sie andere Gesellschaft, denn die Hauptsache ist, daß Sie nicht ganz allein sind. Wenn Ihre Eltern oder Schwiegereltern zu weit weg wohnen oder nicht zur Verfügung stehen, dann fragen Sie Ihre Schwester oder eine Freundin, ob sie sich für einige Tage um Sie kümmern kann. Sie werden sich gleich viel ruhiger und sicherer fühlen. Außerdem ist es schön und entspannend, sich jeden Tag einige Stunden lang umsorgen zu lassen. Scheuen Sie sich nicht, Ihr Neugeborenes der Obhut einer guten Nachbarin oder Ihrer kinderunerfahrenen Freundin zu überlassen. Erstens sind Sie selbst meist auch nicht geübter, zweitens tut das Ihrer Beziehung zum Kind keinen Abbruch. Sie kommen früh und intensiv genug zum Einsatz, auch wenn Sie sich bei der Versorgung helfen lassen.

Ich selbst ging nach einer ambulanten Geburt mit Mann und

Kind sofort nach Hause, wo uns meine Mutter für einige Tage umsorgte. Da wir sie vorher noch nie für längere Zeit zu Gast gehabt hatten, war dies ein durchaus gewagtes Experiment. Mit vollem Erfolg! Ich hatte die ersten Tage so viel mit mir zu tun, daß ich froh war, mich kaum um das Kind kümmern zu müssen.

Seien wir ehrlich: Kaum eine Frau übersteht eine Geburt ohne größere oder kleinere Blessuren, die gepflegt und behandelt werden müssen. Seien es schmerzende Brüste oder Wundnähte, Dammriß oder schlicht und einfach Muskelkater. Fangen Sie am besten gleich nach der Geburt an, nicht nur für Ihr Baby, sondern auch für sich selbst zu sorgen.*

Für Frauen, die ihr zweites Kind bekommen, ist Gesellschaft genauso wichtig. Wahrscheinlich werden Sie sich im Umgang mit dem Neugeborenen sicherer fühlen als beim ersten Mal, aber es ist wichtig, daß sich jemand um das ältere Kind kümmert, damit dieses sich nicht vernachlässigt fühlt und Sie genügend Zeit für sich selbst finden.

Lernen, Hilfe anzunehmen

Auch wenn Sie bisher gut allein zurechtgekommen sind, ist es besser, Sie nehmen nach der Geburt Ihres Kindes schnellstens Abschied von dem »Ich-schaff-das-schon-allein«-Anspruch. Ihr Ehrgeiz in allen Ehren, aber Sie schneiden sich ins eigene Fleisch, wenn Sie auf Hilfe verzichten, die andere Ihnen womöglich freiwillig anbieten.

Vor allem alleinerziehende Frauen haben häufig den Drang, es allein zu bewältigen oder es anderen sogar *beweisen* zu müssen. Sie haben ihren Kindern gegenüber oft ein schlechtes Gewissen, weil diese ohne Vater aufwachsen, und sie versuchen diesen als Mangel wahrgenommenen Umstand durch ein Übermaß an

* Übrigens bezahlen die meisten Krankenkassen bei ambulanten Geburten einen Zuschuß für eine vorübergehende Haushaltshilfe, wenn Ihre Frauenärztin Ihnen den Bedarf bescheinigen kann.

Aufmerksamkeit wettzumachen. Dazu paßt natürlich nicht, die eigene Situation durch die Inanspruchnahme fremder Hilfe zu erleichtern. Im nachhinein erkennt manche Frau dann, daß sie sich das Leben viel einfacher hätte machen können:

> Ich hatte schon Scheu, Freunde zu fragen, ob sie auf David mal aufpassen würden. Nur damit ich mal in Ruhe einkaufen konnte, ohne alles mitzunehmen, oder mich mal zwei Stunden in den Park zu setzen, ohne irgendwas. Das habe ich damals nicht so gemacht. Ich traute mich das nicht, weil ich dachte, Freundschaft und Dienstleistungen, das wollte ich nicht so gerne vermischen. Zu dem Zeitpunkt fand ich noch, ich müsse das allein hinkriegen. Was ich im nachhinein besser bzw. anders hätte machen sollen. Das wäre viel kräfteschonender gewesen.
>
> *(Hanne, 38, Lehrerin)*

Alleinerziehende Mütter erbitten und erhalten nicht nur wenig Unterstützung von außen, sie neigen auch stärker als andere dazu, ihre Sprößlinge von jeglicher Mitarbeit im Haushalt zu befreien. Dabei ist inzwischen erwiesen, daß Kinder alleinerziehender Mütter und Väter früher Selbstvertrauen, Selbständigkeit und Verantwortungsgefühl entwickeln als ihre Altersgenossen aus Zwei-Eltern-Familien, wenn man ihnen die nötigen Freiheiten dafür läßt und sie entsprechend in die Familienarbeit einbindet.[38]

Schonen Sie Ihre Kräfte und Ihre Seele. Sie müssen niemandem etwas beweisen! Deshalb sollten Sie auch nicht davor zurückschrecken, Hilfe in Anspruch zu nehmen, ganz und gar, wenn Sie Ihnen angeboten wird. Einmal abgelehnt, wird Sie Ihnen wahrscheinlich nicht wieder offeriert werden. Sie sollten immer daran denken: *Alles, was Sie sich selbst zugute tun, wirkt sich letztlich positiv auf Ihr Kind aus.*

Natürlich sind es nicht nur Alleinerziehende, die kostbare Hilfe nicht in Anspruch nehmen. Auch alle anderen Frauen können dieser Gefahr erliegen. Gerade beruflich engagierte Frauen neigen dazu, die neuen Belastungen zu unterschätzen, weil sie meinen, durch ihre Berufstätigkeit im Umgang mit Streß und Arbeitsbelastung geschult zu sein. Das ist durchaus richtig. Allerdings können Sie sich bei beruflichen Belastungen auf Routine und Erfahrung verlassen, während viele Frauen in der Handhabung eines Neugeborenen völlig unerfahren sind. Deshalb sollten Sie sich absichern. Die meisten zufriedenen Mütter verfügen über ein Umfeld, auf das sie zurückgreifen können. Das ist im besten Fall immer ein mithelfender Partner. Es kann aber auch die Mutter oder Schwiegermutter sein, ebenso wie eine Schwester, eine Nachbarin, Freundin oder andere Mütter und Väter aus dem Bekanntenkreis.

Wenn Sie sich weiter beruflich engagieren möchten und auch Ihre Partnerschaft nicht zu kurz kommen soll, brauchen Sie und Ihr Mann Unterstützung von außen. Sie sind keine Superfrau, und Sie werden auch keine. Diese Wesen existieren nur im Fernsehen und in unterhaltsamen, aber unrealistischen Romanen.

Hilfe aus dem Freundes- und Verwandtenkreis

Dort, wo externe Hilfe, etwa in Form einer Tagesmutter oder einer Putzfrau, per Arbeitsvertrag geregelt wird, können Absprachen klar und verläßlich getroffen werden. Schwieriger ist es mit Hilfestellungen von Freunden und Verwandten. Wenn Ihnen die Schwiegermutter, mit der Sie bis zur Schwangerschaft nie zurechtgekommen sind, plötzlich Hilfe bei der Kinderbetreuung anbietet, dann ist Vorsicht geboten. Erfahrungsgemäß bestehen dort, wo es schon vor der Schwangerschaft problematisch war, die Konflikte auch nach der Geburt fort. Suchen und verlassen Sie sich lieber auf Menschen, mit denen Sie schon lange auf gutem Fuß stehen. Schlechte Beziehungen lassen sich – wie in der Partnerschaft – nicht durch ein Kind kitten!

Hilfe von Freunden und Verwandten anzunehmen ist etwas, das Sie lernen müssen. Es geht nicht nur um das Loslassen des Kindes und das Vertrauen in andere Menschen, sondern auch darum, daß Sie ein Hilfsangebot ernst nehmen und akzeptieren können. Sie müssen Ihrem Vater nicht unterstellen, er habe sein Angebot vielleicht nicht ernst gemeint, und Sie sollten es deshalb lieber ablehnen. Ihr Vater ist alt und klug genug, um zu wissen, wann er sich übernimmt. Verlassen Sie sich darauf, daß Ihre Helfer auch nein sagen werden, wenn es angebracht ist. Spätestens mit der ersten Absage werden Sie mir hier zustimmen.

Sonderfall Großeltern

Oma und Opa spielen als Betreuungspersonen für ihre Enkel heute keine so große Rolle mehr wie früher. Die Großfamilien sind aufgelöst, und häufig wohnen die Großeltern in einiger Entfernung vom Wohnort der Kinder und Enkel. Viele von ihnen sind noch berufstätig, wenn die ersten Enkel kommen, oder sie haben anderweitige Interessen und Ziele. »Ich habe meine eigenen Kinder großgezogen, das reicht«, mag manche Großmutter mit Recht denken.

Andere Großeltern sind Feuer und Flamme, wenn es ums Enkelhüten geht, und vor allem Babys vertrauen Eltern am liebsten den eigenen Eltern an. Ob als regelmäßige Tagesbetreuung, für einen Urlaub zu zweit oder für Kinoabende, Großeltern können wunderbare Babysitter sein, wenn die Voraussetzungen dafür stimmen. Der Pädagoge Peter Erath beschreibt, worauf es ankommt: »Haben die ›großen Kinder‹ sich ausreichend von ihren eigenen Eltern abgenabelt, kann das engere Zusammenrücken der drei Generationen als sehr beglückend empfunden werden ... Damit dies ein Zustand von Dauer wird, empfiehlt es sich, einen klaren Trennungsstrich zwischen der Familie der Großeltern und der ihrer Kinder beizubehalten. Jede Seite muß die Möglichkeit haben, sich in die eigenen vier Wände zurückzuziehen. Beide Familien sollten voneinander finanziell unabhängig sein.«[39]

Eltern und Großeltern dürfen durchaus unterschiedliche Erziehungsvorstellungen haben, solange die Erziehungsprinzipien der Eltern respektiert und grundsätzlich unterstützt werden. Dies ist eine wesentliche Voraussetzung für ein ungetrübtes Verhältnis zwischen den Generationen. Wenn Großeltern jedoch versuchen, in die Kindererziehung einzugreifen, ist eine Grenze überschritten, und Probleme sind programmiert. Das kann in manchen Familien zur Gratwanderung werden, vor allem dann, wenn Oma oder Opa immer wieder daran erinnert werden müssen, wer den erzieherischen Part innehat.

> Manchmal kommt meine Mutter mir zu nahe. Sie erzählt heute noch Sachen von meinem ältesten Sohn, wo sie in der wir-Form spricht. »Gell, wir haben das doch immer so gemacht ...« Das mag ich nicht. Sie war nie mein Partner und wird es auch nie sein. Ich muß immer zusehen, daß ich zu ihr sagen kann und auch würde: »Mutter, jetzt ist Schluß.« *(Sylvia, 45, Lehrerin)*

Problematisch wird es vor allem dann, wenn die Großeltern Ihre Erziehungsprinzipien dauerhaft mißachten oder gar boykottieren. Wenn Sie sehr auf eine gesunde Ernährung Ihrer Kinder achten und deren Süßigkeitenkonsum im Auge behalten möchten, Ihre Kinder bei den Großeltern aber regelmäßig heimlich mit Naschkram überschüttet werden, müssen Sie reagieren. Häufig gehen solche Boykottmaßnahmen auf alte Spannungen und ungelöste Konflikte zwischen Eltern und Großeltern zurück. Wenn diese Konflikte nicht ausgeräumt werden, können die Kinder leicht zwischen die Fronten geraten, und dann haben nicht nur Sie, sondern auch Ihre Kinder Streß. In diesem Fall ist es besser, auf Abstand zu gehen und sich nach kooperativeren Betreuern umzusehen.

Die meisten Großeltern sind jedoch froh, mit der eigentlichen Kindererziehung nichts mehr zu tun zu haben, und picken sich mit Freude die »Rosinen aus dem Kuchen«. Als es galt, meiner Tochter das Zähneputzen beizubringen, drückte mir meine Mutter jedenfalls regelmäßig die Kinderzahnbürste in die Hand und sagte: »Hier, das überlasse ich lieber dir.« Kein Wunder, daß meine Tochter der Oma hinterher für eine Weile wohlgesonnener war als mir! Und genau das erklärt auch die große Begeisterung vieler Großeltern für ihre Enkelkinder und umgekehrt. Ein wunderbarer Zustand, der sich, wie es scheint, in vielen Fällen auch positiv auf das Eltern-Großeltern-Verhältnis auswirkt.

Weitaus die meisten Frauen berichten von einem verbesserten und teilweise völlig veränderten Verhältnis zu ihren Eltern. Für viele Paare gewinnt die eigene Familie durch die Geburt des ersten Kindes einen ganz anderen Stellenwert. Das liegt nicht nur an der Bedeutung der Großeltern als Babysitter, sondern auch daran, daß viele Menschen die Leistungen der eigenen Eltern erst erkennen können, wenn sie selbst mit Kindern leben. Johanna zum Beispiel hatte lange Zeit Probleme mit der Tatsache, daß ihre Mutter für sie den Beruf aufgab. Die Geburt ihrer eigenen Tochter verhalf ihr zu einer neuen Einschätzung der Lebensleistung ihrer Mutter und damit zu einem viel schöneren Verhältnis:

> Also die größte Veränderung brachte das Kind eigentlich im Verhältnis zu meiner Mutter. Wir sind grundverschieden. Meine Mutter hat ihren Beruf aufgegeben, als ich auf die Welt kam, und war die klassische Mamaglucke. Und ich habe vor meiner Mutter keine Achtung gehabt. Aber seit das Baby auf der Welt ist, steht meine Mutter bei mir ganz oben, was ihre Fähigkeiten als Mutter angeht. Ich sehe heute im Rückblick, was sie bei mir gut gemacht hat und wieviel sie jetzt auch toll macht mit der Kleinen. Da ist ganz viel Wertschätzung entstanden. Heute bin ich dankbar, daß ich so eine Mutter habe, die trotz allem zu mir steht und so ist, wie sie ist, und mir so viel helfen kann. Ohne meine Mutter, wenn sie mich so nicht erzogen hätte, wäre ich nicht, wie ich bin. Der Löwenanteil liegt da bei ihr. Das konnte ich aber früher nicht sehen.
>
> *(Johanna, 38, Grafikerin)*

Wenn die Verhältnisse geklärt sind, beziehungsweise Konflikte, dort, wo sie vorhanden sind, gelöst werden, und der Umgang miteinander von Respekt und Anerkennung geprägt ist, können Großeltern Ihr Leben und das Leben Ihrer Kinder ungemein bereichern und erleichtern. Sie haben mehr Gelegenheit, etwas für sich selbst und für die Partnerschaft zu tun, und Ihrem Sprößling tut es gut zu wissen, daß man sich auch in die Arme von Oma oder Opa flüchten kann, wenn er auf Mama und / oder Papa gerade nicht so gut zu sprechen ist – was selbst bei Kleinkindern ab und zu vorkommt.

Falls Sie unsicher sind, ob Sie Ihre Eltern / Schwiegereltern als

Babysitter in Anspruch nehmen möchten, finden Sie unter Tips & Tops einige Anregungen, die Ihnen weiterhelfen können.

Weiterarbeit oder Babypause?

Obwohl viele Leute offenbar immer noch glauben, die Arbeitsmoral einer Frau werde im Moment der Empfängnis von einer Art Killerhormon getilgt und sie sollte deshalb nach der Geburt lieber gleich zu Hause bleiben, sieht die Wirklichkeit ganz anders aus. Allem Aberglauben zum Trotz stufen beruflich engagierte Frauen auch im Zustand der Schwangerschaft ihren Job weiterhin als sehr wichtig ein, und sie sind in der Regel nicht bereit, ihn durch einen längeren Ausstieg zu gefährden oder zu vernachlässigen.

Dies spiegelt sich auch in der Tatsache wider, daß viele Frauen nach einer gewissen Babyzeit froh sind, wieder in ihren Beruf zurückzukehren. Anscheinend ist der Genuß der ausschließlichen Kinderbetreuung für berufsorientierte Frauen von begrenzter Dauer. Die Mehrzahl empfindet es als wohltuend, nach einiger Zeit wieder arbeiten zu gehen. Die Freude am Kind schließt also das Bedürfnis nach Berufstätigkeit keinesfalls aus. Für die meisten Frauen gibt es einen Zeitpunkt, an dem sie das Gefühl haben, sich auch wieder mit anderen Dingen beschäftigen zu wollen, wobei es von Frau zu Frau verschieden ist, wann dieser Zeitpunkt kommt. Sylvia beispielsweise hatte vor der Geburt ihres ersten Sohnes ganz andere Pläne als die, die sie dann verwirklichte.

> Ich hatte anfangs acht Wochen [Mutterschutz] vor, und dann kommt das Kind in die Kinderkrippe. Aber nach der Geburt habe ich mir gesagt, so ein Kind ist nicht irgendwas, daß man sagt, das managen wir schon, das kommt schon mit, es kommt mit acht Wochen in die Krippe, andere Kinder machen das auch, andere Eltern machen das auch. Ich habe gemerkt, daß das Kind mich sehr rührt, daß es mein Herz sehr rührt, und ich habe gesagt, ich kann das nicht, ich bringe das nicht. Dieses kleine hilflose Wesen, das braucht mich jetzt noch. Und habe mich dann entschlossen, ein halbes Jahr Erziehungsurlaub zu nehmen, war

dann ein halbes Jahr zu Haus. Das hat mir dann gereicht. Also nach einem halben Jahr war dann auch wirklich Schluß. Dann wollte ich nicht mehr komplett zu Hause sein. *(Sylvia, 45, Lehrerin)*

Für viele Frauen wird gerade angesichts der großen Veränderungen in ihrem Leben der Beruf zu einer Art Fels in der Brandung, zur letzten vertrauten Bastion auf ansonsten unbekanntem Terrain. Deshalb legen sie Wert darauf, beruflich nicht den Anschluß zu verlieren, und das geht am besten, wenn sie nicht zu lange aussteigen. Allerdings ist die Umstellung vom Leben als Paar auf ein Familienleben kein Pappenstiel, wie die Schilderung von Sylvia bereits andeutet, und eine solche Veränderung braucht Zeit – wieviel, hängt ganz von Ihren individuellen Bedürfnissen, Ihren Lebensumständen und Ihren beruflichen Plänen ab.

Die meisten berufsorientierten Frauen kehren nach einer relativ kurzen Ausstiegsphase wieder in den Beruf zurück, wobei die Spanne von acht Wochen bis etwa 18 Monaten reicht. Die Mehrheit der Frauen reizt die gesetzliche Möglichkeit eines dreijährigen Ausstiegs also keinesfalls, sondern pausiert zwischen drei und zwölf Monaten. Nicht wenige zieht es sogar schon nach Ablauf der gesetzlichen Mutterschutzfrist nach acht Wochen an den Schreibtisch zurück. Generell sind die Ausstiegsphasen also relativ kurz, und die meisten beruflich engagierten Frauen legen Wert darauf, auch während der Babyzeit engen Kontakt zu ihrem Arbeitsplatz zu halten. Dies geschieht aus gutem Grund. Denn wer sich zwischendurch überhaupt nicht um den Job kümmert, hat bei der Rückkehr mitunter das Nachsehen. Gesetzlich geschützt ist nach dem Erziehungsgeldgesetz nämlich nur das Beschäftigungsverhältnis selbst, nicht aber der alte Arbeitsplatz, es sei denn, dies wurde im Arbeitsvertrag ausdrücklich festgehalten. Sie können Ihren alten Job also durchaus verlieren, wenn Sie aus dem Erziehungsurlaub zurückkehren.

Bei Ihren Überlegungen zur Dauer der Babyzeit sollten Sie auch den Standpunkt vieler Arbeitgeber mit einkalkulieren, daß, wer zu lange pausiert, an einer vielversprechenden Karriere kein Interesse mehr haben kann. Abgesehen davon ist es ganz einfach so, daß Sie an Ihrem Arbeitsplatz nach zwei- oder dreijähriger Abwesenheit tatsächlich weder Gesichter noch Arbeitsabläufe wiedererkennen werden, weil sich in der Zwischenzeit zuviel verändert hat, von dem Sie schlicht nichts mitbekommen haben. Bleiben Sie also am Ball!

Wenn Ihnen Ihr Beruf wirklich am Herzen liegt, sollten Sie nicht länger als ein Jahr aussteigen und gegebenenfalls rechtzeitig auf ein Teilzeitmodell hinarbeiten.

Das passende Arbeitszeitmodell

Wenn Sie die Babyzeit nicht allzulange ausdehnen und Ihr Chef kein starrköpfiger Miesepeter ist, sind viele Arbeitszeitmodelle denkbar und möglich. Wichtig ist, daß Sie frühzeitig und mit Ihrem Partner gemeinsam planen, damit Sie die gewünschten Regelungen mit Ihren Vorgesetzten erörtern können, ohne daß Ihnen der Geburtstermin bereits im Nacken sitzt und das Krankenhausköfferchen gepackt ist. Generell gilt: *Ein Recht auf Teilzeitbeschäftigung nach dem Erziehungsurlaub gibt es nicht.* Existiert in Ihrer Firma ein Frauenförderplan, können Sie dort nachsehen, ob es entsprechende Vereinbarungen gibt. Ansonsten müssen Sie verhandeln! Je eher Sie die Sache angehen und je besser Sie vorbereitet sind, desto größer sind Ihre Erfolgsaussichten.

In Michaelas Beruf als Außendienstmitarbeiterin beispielsweise gibt es praktisch keine Frauen mit Kindern. Trotzdem fand sie durch gute Vorbereitung einen Weg, ihre Arbeitgeber zu überzeugen:

> Meine Chefs waren erst mal schockiert. Es gibt eigentlich keine Außendienstlerin mit Baby, Mütter gibt es in dem Bereich nicht. Es war einfach deren Sorge, daß das nicht funktionieren kann. Sie hatten Panik, daß ich mitten im Mutterschaftsurlaub sage, ich kann mein Baby nicht alleine lassen, und sie stehen mit dem Problem da, kurzfristig die Stelle besetzen zu müssen. Ich habe dann ein richtiges Konzept ausgearbeitet, habe einen Termin ausgemacht mit meinen beiden Chefs und einen Kalender

kopiert ... Und dann kam ich mit diesem wunderbaren Konzept und meinem kopierten Kalender, habe das schön verteilt an alle und gesagt, so stelle ich mir das vor. Ich könnte natürlich nicht garantieren, daß ich ein gesundes Kind bekomme, aber wenn, würde ich eigentlich davon ausgehen, daß das so klappt, weil ich genug Hilfe im Hintergrund habe. Und daraufhin haben sie mich eigentlich auch unterstützt.

Was sich im Vorfeld schlecht einplanen läßt, ist Ihre eigene Reaktion auf das Kind und die Frage, wie lange Sie brauchen, um sich auf die neue Situation einzustellen! Kaum eine Frau meint rückblickend, sie habe so auf das Kind reagiert, wie sie es sich vor der Geburt vorgestellt hatte. Viele Frauen unterschätzen die Intensität ihrer Gefühle für das Neugeborene und sind überwältigt von der Tiefe ihrer Empfindungen. Gleichzeitig erscheint ihnen die Mutterrolle als sehr gewöhnungsbedürftig. Sie sollten daher bedenken, daß Sie vielleicht einige Zeit brauchen, um den Ansturm der Gefühle und die völlig neue und anstrengende Situation der Mutterschaft zu verkraften.

Ich war ziemlich überwältigt. Es ist ein ganz tiefes Glück. Ich habe es einfach als etwas Wunderschönes erlebt. Das erlebe ich auch noch so. Es ist etwas ganz Intensives und etwas, wo ich merkte, ich muß mich in diese Rolle reinfinden, in diese Mamarolle ... Für mich war es eben so, daß ich am Anfang davorstand und dachte: Das ist mein Kind?!
Ich war lange immer noch überwältigt von der Vorstellung, daß das jetzt mein Kind ist. Es hat ein paar Monate gedauert, bis es sich gesetzt hatte und ich das Gefühl hatte, es gehört jetzt zu meinem Leben, es ist jetzt integriert. *(Jutta, 36, Journalistin)*

Wie schnell es Frauen gelingt, das Neue in ihr Leben zu integrieren, ist sehr unterschiedlich. Manche haben schon acht Wochen nach der Geburt den Kopf frei genug, um sich wieder anderen Dingen zuzuwenden, und kehren in ihren Beruf zurück. Andere haben das Bedürfnis, sich ihrem Kind sehr viel länger zu widmen, obwohl sie damit vielleicht nie gerechnet haben. Allerdings sagt die Dauer der Babyzeit nichts darüber aus, wie tief die Gefühle einer Mutter für ihr Kind sind; sie spiegelt lediglich wider, wie lange eine Mutter braucht, um sich auf die neuen Lebensverhältnisse einzustellen.

Problematisch kann es werden, wenn eine Frau sich aus bestimmten (meist finanziellen) Gründen gezwungen fühlt, wieder arbeiten zu gehen, obwohl sie innerlich noch nicht bereit dazu ist. Trennungsängste und -schmerz, aber auch das Gefühl der Überforderung können die Folge sein. So berichtet Marion, die früher, als ihr lieb war, ins Berufsleben zurück mußte:

> Der Anfang war sehr schwer. Wenn ich morgens los mußte, war mir, als würde ich innerlich zerrissen. Ich konnte das kaum aushalten. Was ich mir nicht vorgestellt hatte. Einerseits war ich froh, wieder zu den Kollegen Kontakt zu haben und auch arbeiten zu können. Aber sobald ich im Auto saß, brauchte ich ganz lange, um mich von zu Hause zu distanzieren und nicht nachzudenken, wie geht es jetzt Tobias, und wie geht es Kurt, was macht er jetzt mit dem Kind? Vor allem wenn der Kleine irgendwas hatte, so Kleinigkeiten eben, was Babys so haben. Heute sage ich ›Kleinigkeiten‹, aber damals dachte ich jedesmal: Wenn ich jetzt nicht aufpasse, wird er schwerkrank oder stirbt oder so was. Das hat lange angehalten. *(Marion, 50, Lehrerin)*

Hätte Marion, die in ihrer Familie die Alleinverdienerin ist, die Möglichkeit gehabt, den Wiedereinstieg zu verschieben oder mit weniger Wochenstunden zu beginnen, wäre ihr die Loslösung vom Kind vermutlich leichter gefallen.

Um eine solche Zwangslage zu vermeiden, hilft nur eines: sich möglichst schon vor der Schwangerschaft ein finanzielles Polster zuzulegen, das es Ihnen gestattet, den Zeitpunkt Ihrer Weiterarbeit an Ihren Bedürfnissen und nicht an denen Ihres Geldbeutels auszurichten.

Behalten Sie bei Ihren Überlegungen zur Weiterarbeit also unbedingt im Hinterkopf, daß Sie eventuell einige Monate brauchen, um sich an die neue Situation zu gewöhnen. Als hilfreich hat es sich erwiesen, die Arbeit flexibel zu gestalten.

Wenn Sie beispielsweise die Vorstellung haben, nach einem

Jahr wieder Vollzeit einzusteigen, können Sie Ihrem Chef vorschlagen, nach sechs oder acht Monaten mit reduzierter Stundenzahl anzufangen. Sie haben so die Möglichkeit, in die neue Situation hineinzuschnuppern, ohne gleich dem Druck ausgesetzt zu sein, sich von heute auf morgen radikal von Ihrem Kind »abnabeln« zu müssen. Jutta hat diese Konsequenz aus den Erfahrungen des Wiedereinstiegs nach dem ersten Kind gezogen und beim zweiten Mal auf mehr Flexibilität geachtet.

Nach neun Monaten Erziehungsurlaub steige ich jetzt langsam mit 12 Stunden in der Woche wieder ein, um reinzuriechen, und will ab Mai, wenn Felix ein Jahr alt ist, wieder auf 30 Stunden gehen. Im Moment bin ich einen Tag in der Woche im Verlag, und die anderen vier Stunden, so habe ich es vereinbart, arbeite ich zu Hause. Das war eine der besten Ideen, die ich haben konnte, weil es bedeutet, daß ich mich an alles rantasten kann, aber es hat noch keiner große Erwartungen, weil alle wissen, es läuft erst richtig ab Mai. Alle wissen, es sind nur 12 Stunden, da kann man noch nicht soviel erwarten. Und ich kann gucken, kann in Ruhe durch die Gänge gehen, bin noch nicht unter großem Termindruck. Ich finde das für den Wiedereinstieg ganz, ganz ideal. *(Jutta, 36, Journalistin)*

Natürlich klappen Arbeitszeitabsprachen nicht immer auf Anhieb. Manches müssen Sie erst einmal ausprobieren, weil sich im Vorfeld nicht immer abschätzen läßt, wie sich die Umsetzung Ihrer Pläne konkret auswirken wird. Machen Sie aus Ihren Anfangsregelungen also keine Dogmen, sondern achten Sie darauf, wo Sie Dinge noch verbessern können.

Die beiden Lehrer Sylvia und Klaus zum Beispiel teilten sich den Erziehungsurlaub und reduzierten beide nach der Geburt ihres Sohnes auf eine halbe Stelle. Sie wollten sich die Arbeitszeit in Vor- und Nachmittagsarbeit aufteilen. Obwohl die beiden mit ihrer Berufstätigkeit insgesamt zufrieden sind, sehen sie durchaus Verbesserungsbedarf:

Es hat sich insgesamt als stressiger erwiesen, als wir uns das vorgestellt haben. Weil oft, gerade mittags, die Zeit sehr knapp ist, d. h. wir geben uns häufig die Türklinke in die Hand, und ich kann manchmal nicht mal fragen, ob Lukas gekackt oder ob er schon geschlafen hat. Dafür haben wir morgens meistens Zeit, um gemeinsam zu frühstücken. Das könnte das ausgleichen, aber im großen und ganzen müssen wir uns für das nächste Schuljahr ein bißchen den Rücken freihalten.

(Sylvia, 45, Klaus, 48, Lehrer)

Auch wenn solche Möglichkeiten nicht an allen Arbeitsplätzen gegeben und flexible Arbeitszeitregelungen noch manchem Arbeitgeber ein Dorn im Auge sind, haben viele Frauen doch gewisse Spielräume – wenn sie sie zu nutzen wissen.

Wichtig ist, und das kann gar nicht oft genug gesagt werden, daß Sie und Ihr Partner *frühzeitig* anfangen, sich Gedanken darüber zu machen, wie es nach der Geburt weitergehen könnte. Wenn Sie Ihren Chef nicht nur von Ihrer Schwangerschaft unterrichten, sondern ihm gleichzeitig bereits erste Vorschläge unterbreiten, wie es mit Baby weiterlaufen könnte, haben Sie wesentlich bessere Chancen, auf offene Ohren zu treffen.

Selbständige Frauen haben zwar keinen Arbeitgeber, den sie überzeugen müssen, dafür aber mitunter kritische Kompagnons und / oder massive wirtschaftliche Zwänge, so daß auch hier eine gewisse Portion Hartnäckigkeit und Durchsetzungswille gefordert ist.

Erfahrungsgemäß können die meisten Frauen nach der Geburt ihres Kindes problemlos an ihren alten Arbeitsplatz zurückkehren, wenn dies vor dem Ausstieg klar vereinbart wurde. Und – Wunder über Wunder! – es gibt sogar Fälle, in denen Frauen mit einem höheren beruflichen Status wiedereinsteigen, weil sie während der Babyzeit befördert wurden. Das mag den meisten tatsächlich wie ein Kuriosum erscheinen, zeigt aber die wachsende Einsicht von Arbeitgebern, daß es sich lohnt, gute Mitarbeiterinnen zu halten und zu fördern.

Ich hatte nicht damit gerechnet, daß ich im Erziehungsurlaub einen Karrieresprung machen würde. Ich denke, es ist nicht unbedingt die Regel, daß so etwas passiert. Mein Chef hat mich angerufen und gesagt, er wolle mal mit mir sprechen, er hätte mir was Schönes mitzuteilen. Wobei da schon klar war, daß ich früher als geplant wiederkommen würde. Ich hatte immer Kontakt gehalten, hatte auch ein paar Sachen gemacht zwischendurch, und er wollte mit mir reden, ob ich mir das vorstellen könnte. Ich habe mich tierisch gefreut, weil ich dachte: Das so was möglich ist! Da können jetzt andere nachziehen, mit Teilzeit und einer mittleren Führungsposition. Das fand ich rundherum toll.

(Jutta, 36, Journalistin)

Die meisten beruflich engagierten Frauen kehren innerhalb eines Jahres nach der Geburt des Kindes mit reduzierter Stundenzahl in ihren Beruf zurück. Hierbei lassen sich zwei Varianten unterscheiden:

a. Einstieg mit halbierter Stundenzahl und anschließender Erhöhung auf Zweidrittel- oder Vollzeitstelle
b. Einstieg mit zehn bis zwölf Wochenstunden über einen Zeitraum von etwa drei Monaten, dann Erhöhung auf eine halbe, Zweidrittel- oder Vollzeitstelle.

Die erste Variante hat sich als anstrengender erwiesen als die zweite, so daß einige Frauen es vorziehen, beim zweiten Kind einen allmählicheren Einstieg zu suchen. Beim ersten Kind halten sich beide Modelle die Waage.

Etwa ein Drittel der Frauen nimmt gar keinen Erziehungsurlaub und arbeitet nach dem Ablauf der Mutterschutzfrist weiter. In dieser Gruppe ist der Anteil von Frauen mit Vollzeit- bzw. Zweidrittelstellen besonders hoch.

Generell gilt: *Je mehr Kinder, desto größer das Interesse von Frauen an Teilzeitarbeit. Berufsorientierte Frauen arbeiten seltener halbtags, sondern bevorzugen Zweidrittel- bis Dreiviertelstellen.*

Obwohl Teilzeitstellen immer noch als Karrierekiller verschrien sind (und vor allem in weniger qualifizierten und schlecht bezahlten Arbeitsbereichen auch sind), hat die Mehrzahl der Frauen damit keine schlechten Erfahrungen gemacht. Fast alle sind der Ansicht, eine hochqualifizierte Tätigkeit mit familiären Verpflichtungen, Arbeitszeitverkürzungen oder neuen Arbeitsmodellen wie zum Beispiel dem sogenannten Home Office, also der Möglichkeit, Arbeit zu Hause zu erledigen, in Einklang bringen zu können. Auch wenn dies noch nichts über Ihre spezifische Situation aussagt, sollte Ihnen diese Einschätzung Mut machen.

Egal, für welche Variante Sie sich entscheiden, Sie sind in jedem Fall in bester Gesellschaft. Und wenn keine Ihrer Freundinnen das tut, was Ihnen vorschwebt, sehen Sie sich im Kolleginnenkreis um. Hier finden Sie bestimmt Beispiele, an denen Sie sich orientieren können.

Die innere Einstellung zur Arbeit verändert sich

Auch wenn Sie nach der Geburt Ihres Kindes mit unveränderter Stundenzahl an Ihren Arbeitsplatz zurückkehren, wird Ihr Berufsleben nicht mehr so sein wie vorher. Das kann es nicht, denn ab jetzt haben Sie beides: Beruf und Kind. Ganz automatisch sind Sie nicht mehr ausschließlich auf Ihre Arbeit orientiert, sondern auch auf Ihren Nachwuchs.

Das heißt jedoch nicht, daß die Qualität Ihrer Arbeit abnimmt – im Gegenteil! Von den meisten Müttern weiß ich, daß sie sich mit Kind leistungsfähiger und kreativer fühlen. Aber ihre Einstellung hat sich verändert. Frauen, die auf diese Veränderung nicht gefaßt sind, und das sind vermutlich die meisten, kann das Probleme bereiten. Sie versuchen mit dem gleichen Feuereifer, mit dem gleichen Maß an Identifikation ihren Job zu erledigen *und* zusätzlich ihr Familienleben und ihre Beziehung auf die Reihe zu kriegen und sind am Ende völlig ausgebrannt. Viele Frauen machen diese Erfahrung, ehe sie ihre Weichenstellung verändern. Was sie brauchen, können erfahrene Mütter sofort benennen: eine innere Distanz, die es erlaubt, Arbeit, Familie und Partnerschaft besser ins Gleichgewicht zu bringen.

> Mein Beruf ist mir immer noch wichtig, aber für die Selbstverwirklichung ist er nicht mehr so wichtig wie früher. Nicht mehr ausschließ-

lich wichtig. Ich würde ihn nicht aufgeben wollen wegen eines Kindes, aber ich habe mehr Gelassenheit, wenn es Ärger mit einem Kunden gibt oder so. Dann stehe ich ein bißchen daneben, und es ist nicht mehr so, daß es mich völlig umhaut. Und mein Job macht mir wieder mehr Spaß, weil ich mich ganz bewußt dafür entschieden habe.
Meine Arbeit hat sich grundlegend verändert, ich entwickle mich schneller weiter, ich bin gelassener, ich bin einfach emotional unabhängiger und deshalb besser im Job als früher. *(Johanna, 38, Grafikerin)*

Johanna bringt es auf den Punkt. Es geht nicht um die Reduzierung der beruflichen Leistungen, sondern um eine Veränderung der inneren Einstellung, die verhindern soll, daß Sie sich zerreißen.

Wundern Sie sich nicht, wenn Ihr Partner damit weniger Probleme hat als Sie. Es gibt dafür zwei Erklärungen: Entweder er hat tatsächlich bedeutend weniger Anteil an der Kinderbetreuung und den Haushaltsarbeiten – das wäre bedauerlich –, oder er hatte schon immer eine pragmatischere Einstellung zu seinem Beruf – dann können Sie von ihm lernen.

Eine »Überidentifikation« mit der beruflichen Tätigkeit ist gerade unter hochqualifizierten Frauen weit verbreitet. Sie ist darauf zurückzuführen, daß Frauen beim beruflichen Aufstieg mit größeren Hindernissen zu kämpfen haben als Männer und ihre berufliche Entwicklung daher »nicht nur als Lernvorgang und Erwerb beruflicher Fähigkeiten« begreifen, sondern auch »als einen umfassenden Vorgang von persönlichem Wachstum und gewonnener Reife«.[40] Die Arbeit wird für viele engagierte Frauen zu einem Wert an sich, mit dem sie sich völlig identifizieren.

Mit der Geburt eines Kindes gewinnen die meisten Frauen eine pragmatischere Einstellung zu ihrer Tätigkeit, die sich auf ihr Berufs- wie auch auf ihr Privatleben positiv auswirken kann. Auch Jutta beschreibt ihre Einstellung zum Job heute anders als früher:

Ich habe innerlich mehr Distanz, weil ich jetzt mehr dazu stehe, Kinder zu haben. Und wenn sie [die Arbeitgeber] mich haben wollen, dann

müssen sie damit leben, wie ich mir das vorstelle. Mit dieser Haltung bin ich [nach dem zweiten Kind] rangegangen. Und das tut mir sehr gut.
(Jutta, 36, Journalistin)

Schließlich und endlich kann es uns nicht darum gehen, Beruf, Familie und Partnerschaft nur zu bewältigen, sondern wir wollen dabei auch die eigene Lebensfreude erhalten oder gar steigern. Es gibt viele Frauen, die alles schaffen und perfekt »funktionieren«, aber dabei keinen Spaß mehr haben. *Es zu schaffen ist also gar nicht so sehr das Problem, aber es zu schaffen und zu genießen, das ist das Kunststück und das Ziel.*

»Wie hast du's mit der Kinderbetreuung?«

So lautet für viele berufstätige Eltern die neue Gretchenfrage, die über Wohl und Wehe einer Familie entscheiden kann. Für die meisten Frauen ist ein gutes Gefühl bei der Kinderbetreuung ausschlaggebend dafür, sich wieder voll auf ihre Arbeit einlassen zu können.

Aber wie soll die Betreuung aussehen? Vertrauen wir unseren Liebling der Oma an, oder ist er bei einer Tagesmutter mit eigenem Kleinkind besser aufgehoben? Sollten wir vielleicht eine Kinderfrau im Haus haben, die auch mal Wäsche bügelt und aufräumt (wenn das Geld dafür langt), oder ist das zu egoistisch gedacht, weil pädagogisch geschulte ErzieherInnen für das Kind viel besser wären? Entscheiden wir uns dann für die private Krabbelstube, die leider keinen Garten hat, dafür aber mehrere Kinder aus dem Bekanntenkreis, oder doch lieber für die städtische Kinderkrippe mit den tollen Außenanlagen? Aber über die rümpfen vielleicht einige Freunde die Nase, weil sie »wohl eher was für sozial schwache Familien« ist oder dort angeblich keine »neueren pädagogischen Konzepte« umgesetzt werden. Und so dreht sich das Gedankenkarussell um und um. Aber das ist nur der Anfang: In nicht allzuferner Zeit werden Sie dann vor der

Entscheidung stehen, ob Ihr Kind eine städtische oder eine konfessionelle Kindertagesstätte besuchen soll oder doch lieber einen privaten Kinderladen; und noch später wiederholt sich das gleiche bei der Wahl der Schule, die ebenfalls staatlich, privat, anthroposophisch, international oder konfessionell sein kann ...

Wie auch immer Sie sich entscheiden, tun Sie es einzig und allein unter dem Gesichtspunkt: *»Was ist das richtige für mich, meinen Partner und das Kind?«* Sie finden diesen Grundsatz banal? Sie irren sich. Nicht wenige frischgebackene Eltern wissen schon bald nach der Geburt ihres Kindes nicht mehr, was falsch oder richtig ist. Noch ehe sie das Kinderzimmer eingerichtet haben, können junge Eltern in einem Meer wissenschaftlicher Erkenntnisse versinken. Von den Auswirkungen frühkindlicher Traumata und allergieauslösender Stoffe über schädliche Nahrungsmittel, giftige Babybekleidung bis hin zu den Folgen der »schwarzen« und »weißen Pädagogik« – sprich: Erziehung – speisen Wissenschaftsbereiche wie Psychologie und Pädagogik, Medizin, Ernährungs- und Gesundheitswissenschaften gesellschaftliche Trends, die unser Leben entscheidend prägen. Und wenn alle Ihre Freundinnen zwölf Monate lang durchstillen und ihren Kindern keinen Tropfen Kuhmilch verabreichen, Sie aber nach drei Monaten abstillen und weiterarbeiten möchten (oder müssen), ist diese Entscheidung für Sie nicht banal, sondern mit Streß verbunden!

Und genau aus diesem Grund sollten Sie sich folgende Maxime zu eigen machen: *Ob Oma oder Erzieherin, staatliche oder private Einrichtung, Ihr Kind ist überall dort gut aufgehoben, wo es – Ihrer Meinung nach! – gut betreut und das Leben für Sie und Ihren Partner dadurch erleichtert wird.* Wichtig ist, daß Sie das Gefühl haben, Ihr Kind in gute Hände gegeben zu haben, und zwar für den Zeitraum und ab dem Zeitpunkt, den Sie selbst für angemessen halten.

Es kommt ganz und gar auf Ihr Gefühl an. Wenn Sie Ihrem Kinderbetreuungsmodell vertrauen, können Sie loslassen und sich auf Ihre Arbeit konzentrieren, ohne ein schlechtes Gewissen zu haben, ohne sich Sorgen zu machen oder Eifersucht auf die Person zu empfinden, die Ihr Kind versorgt.

Die Tagesmutter ist einfach super, das lief von Anfang an sehr gut. Ich hatte bei ihr ein sehr, sehr gutes Gefühl, und das hat sich bis heute gehalten. Sie ist extrem zuverlässig, was ich enorm wichtig finde, sonst könnte ich nicht so arbeiten, wie ich es jetzt mache. Ich habe Gordon dann jeden Tag weggebracht, nicht nur die drei Tage, an denen ich unterrichtet habe, sondern fünf Tage, immer von halb neun Uhr bis eins, halb zwei. Dann habe ich ihn in der ersten Zeit wieder abgeholt.

(Martina, 38, Lektorin)

So beschreibt Martina den Wiedereinstieg nach neun Monaten Babyzeit. Sie wechselte nach einem Vierteljahr auf eine Vollzeitstelle, was für ihren Sohn kein Problem war. Dagegen berichten Frauen, deren Kinderbetreuungsmodell nicht gut oder gar nicht funktionierte, von einer schnell eintretenden Überlastung, die alle Bereiche ihres Lebens beeinflußte: den Beruf, das Kind und die Partnerschaft.

Ich hatte ständig das Gefühl, ich muß jetzt anrufen, ob die zwei miteinander klarkommen. Ich mußte das machen. Vielleicht war es auch falsch, aber ich habe es halt gemacht. Ich stand dann in der Mittagspause am Telefon und habe gefragt: »Na, wie ist es denn heute gelaufen?«, während die anderen vielleicht abschalten konnten.

(Dagmar, 37, Gestalterin)

Auch für das schlechte Gewissen berufstätiger Mütter ist eine gute Kinderbetreuung das beste Gegenmittel. Die alleinerziehende Hanne hatte, als sie ihren Beruf wiederaufnahm, häufig mit Schuldgefühlen zu kämpfen, obwohl sie sehen konnte, wie sehr sich ihr Sohn auf die Gesellschaft anderer Kinder freute.

Mein Glück ist, daß David von klein auf ein unheimlich kommunikativer Mensch war. Er war froh, wenn etwas um ihn herum los war, bei wem oder wo, spielte für ihn keine Rolle. Hauptsache, da ist was los, das findet er dann spannend. Ob da jetzt die Eltern dabei sind oder nicht, ist nicht so interessant. Das sind eher Probleme, die ich mir selber damit mache – doch so lange weg zu sein. Was mutest du deinem Kind zu, habe ich mich oft gefragt. Obwohl ich nie den Eindruck hatte, David geht ungern hin. Man kriegt ja einen Eindruck, wenn man sein Kind wieder abholt. Was für ein Gesicht macht es? Ruft es tränenüberströmt Mama oder nicht? Aber das war überhaupt nicht der Fall. Es gab sowieso keine Alternativlösung. Aber dieses schlechte Gewissen!

(Hanne, 38, Lehrerin)

Bei den meisten Frauen funktioniert das gewählte Kinderbetreuungsmodell nach der Babyphase relativ gut. Das schließt jedoch nicht aus, daß Sie an einzelnen Punkten Veränderungen vornehmen müssen, weil sich in der Praxis zeigt, daß bestimmte Dinge nicht so funktionieren, wie Sie es sich vorgestellt haben.

Im großen und ganzen aber freuen sich die meisten Frauen auf die beruflichen Herausforderungen und die Abwechslung, und sie können dieses Gefühl auch genießen, weil sie ihr Kind in guten Händen wissen.

Welche Betreuungsmöglichkeiten gibt es?

Neben den festen öffentlichen Betreuungsinstitutionen wie Krippen und Kindergärten gibt es heute zahlreiche selbstorganisierte Betreuungsformen wie Tagespflege durch Tagesmütter / -väter und -großeltern, Krabbelstuben, Kinderläden, Eltern-Kind-Gruppen, Mütterzentren oder Elterninitiativen (Miniclubs, Stillgruppen usw.). Die meisten dieser Einrichtungen bieten gerade für die ganz Kleinen eine familienähnliche Betreuungssituation, was viele Eltern begrüßen. Darüber hinaus herrscht »Artenvielfalt«: die Gruppen »haben verschiedene pädagogische Konzepte und unterschiedlich lange Betreuungszeiten, die Räumlichkeiten können angemietet oder von Kirchen, Wohlfahrtsverbänden bzw. Kommunen zur Verfügung gestellt werden. Die finanzielle Unterstützung durch die öffentliche Hand ist unterschiedlich hoch oder fehlt, pädagogisches Personal ist vorhanden oder nicht.«[41] Außerdem verlangen manche Gruppen ein hohes Maß an elterlicher Mitarbeit oder übernehmen die Kinderbetreuung nur für wenige Stunden in der Woche.[42]

Welche Betreuungsform paßt zu uns?

Die Einrichtung Ihrer Wahl sollte mit Ihren Vorstellungen von der Kindererziehung ebenso zu vereinbaren sein wie mit Ihren beruflichen und partnerschaftlichen Bedürfnissen. Patentrezepte oder *die* ideale Betreuung gibt es nicht. Ob Babysitter, Tageseltern, Krabbelstuben oder Krippen – jede dieser Möglichkeiten kann für Ihr Kind die richtige sein, wenn es dort mit Respekt und Wärme aufgenommen und seiner Persönlichkeit und seinem Entwicklungsstand entsprechend betreut wird. Und wenn Sie es mit gutem Gewissen hinbringen und abholen!

Kindern geht es gut, wenn es der Familie gutgeht, das war auch für Jutta und ihren Partner das entscheidende Kriterium bei der Wahl der Kinderbetreuung:

> Moritz ist, seit er zweieinhalb ist, im Kinderladen, der hat auf von 7.45 Uhr bis 14.30 Uhr. Er wurde eingewöhnt in den sechs Wochen vor Felix' Geburt. Felix ist, seit er acht Monate ist, bei einer Tagesoma. Eine fitte und sehr nette Frau. Sie wohnt direkt um die Ecke.
> Ursprünglich hatten wir vor, ihn in die Krippe zu geben, hatten sogar einen Krippenplatz. Die Krippe hatte auch einen sehr guten Eindruck auf uns gemacht. Und manchmal denke ich, es wäre vielleicht nicht schlecht gewesen ... Das Entscheidende war, daß wir am Schluß gesagt haben, Moritz aus der Krabbelstube und Felix bei der Tagesmutter abholen, kann man auf einem Weg erledigen. Die Frau ist flexibel, wenn Felix mal krank ist. In die Krippe könnte er mit Fieber nicht hin, aber sie würde auch mal hierherkommen. Es sind mehr Möglichkeiten, um unseren Familienalltag in Ruhe und Frieden zu regeln. Das war das oberste Kriterium. Je weniger wir gestreßt sind, um so besser geht es den Kindern. *(Jutta, 36, Journalistin)*

Die beste Kinderbetreuungsmöglichkeit muß nicht immer die teuerste sein. Eine liebevolle Oma braucht kein Pädagogikstudium, um ihr Enkelkind richtig zu betreuen, aber umgekehrt muß eine gute Erzieherin Ihren Sprößling auch nicht wie Oma oder Opa vergöttern, um ihm eine wertvolle Bezugsperson zu sein. Und selbst wenn die gewählte Betreuungsart sich als Fehlschlag erweisen sollte, ist das nicht das Ende der Welt. Sie haben

Ihrem Kind damit weder entscheidende Chancen im Leben genommen, noch wird es lange unter den Folgen leiden. Kinder sind viel robuster, als wir glauben, und von Natur aus dazu befähigt, sich den unterschiedlichsten Verhältnissen anzupassen. Ändern Sie also, was geändert werden muß, und vertrauen Sie auf die Widerstandskraft Ihres Kindes.

Ebenso wichtig ist es, daß die Betreuungsform Ihren eigenen Verhältnissen entspricht und Sie weder finanziell noch durch zu großen Zeit- und / oder Arbeitsaufwand überfordert. Wenn Sie und Ihr Partner Vollzeit berufstätig sind, wird es unter Umständen schwierig, alle vierzehn Tage für die gesamte Krabbelstubengesellschaft zu kochen und am Wochenende dort sauberzumachen, weil Ihnen dadurch Zeit für die Partnerschaft und die Familie fehlt. Andererseits können Eltern, die Zeit und Lust dazu haben, sich gerade in solchen Gruppen mehr einbringen als in öffentlichen Betreuungseinrichtungen.

In Familien, in denen beide Partner nach der Geburt des ersten Kindes weiter berufstätig sein wollen, wird meist schon frühzeitig für eine entsprechende Kinderbetreuung gesorgt. Dabei läßt sich zwischen Fremdbetreuung (Tagespflege, Krabbelstuben, Krippen, Kinderfrauen usw.) einerseits und Familienbetreuung (Großeltern, Freundinnen, Schwestern ...) andererseits unterscheiden. Beide Betreuungsformen werden von gleichvielen Paaren in Anspruch genommen.

Familienbetreuung

Frauen, die sehr bald, also etwa zwei bis sechs Monate nach der Geburt weiterarbeiten möchten, lassen ihr kleines Kind am liebsten in der Obhut von Angehörigen und geben es erst einige Monate später in eine Krabbelstube, Krippe oder ähnliches. Das bevorzugte Alter für den Beginn der Fremdbetreuung liegt um ein Jahr.

> Ich gehe immer in Halbjahresschritten, habe ich mir vorgestellt. Erst mal habe ich die Stillzeit, wo das Kind ja immer bei mir sein muß. Dann

bis zum Ende des ersten Jahres, wo ich Carla schon ein bißchen mehr abgeben kann, ist sie drei Tage die Woche bei meinen Schwiegereltern, einen Tag in der Woche mache ich Bürotag, und einen Tag in der Woche nehme ich sie ganz, aber ab und an nehme ich sie auch mal mit. Und dann ab Sommer soll sie in eine Krabbelstube gehen.

(Michaela, 30, Außendienstmitarbeiterin)

Beim zweiten Kind wird dies in der Regel etwas variiert, denn zweite Kinder werden generell früher in Betreuung und dabei auch früher in fremde Betreuung gegeben. Die Eltern werden also mutiger und haben aufgrund ihrer positiven Erfahrungen mit dem ersten Kind mehr Vertrauen in eine frühe Fremdbetreuung.

Wenn Sie vorhaben, bald nach der Geburt weiterzuarbeiten, und Sie sich eine Kinderbetreuung durch Angehörige vorstellen können, dann sollten Sie auf jeden Fall rechtzeitig bei den in Frage kommenden Großeltern, Schwestern oder Freundinnen anklopfen, damit sich alle Beteiligten so früh wie möglich auf die Situation einstellen können. Sie sollten Zeit haben, mögliche Ablaufszenarien zu planen und wieder zu verwerfen und nach der Geburt eine gewisse Probezeit zu durchlaufen. Sicher haben Sie nicht vor, am ersten Arbeitstag bei Ihrer Schwester aufzutauchen und ihr ein Kind in den Arm zu drücken, das diese bis dahin erst zwei- oder dreimal gesehen hat. Erfahrungsgemäß kämen Ihre Schwester und das Baby damit allerdings besser zurecht als Sie!

Fremdbetreuung

Mit eineinhalb Jahren werden fast alle Kinder beruflich engagierter Frauen außer Haus oder in einer Kombination von Großeltern und einer Fremdbetreuungsform gehütet. Dabei hat sich keines dieser Modelle als Favorit entpuppt; alle Betreuungsarten haben sich den Bedürfnissen der Familien entsprechend bewährt.

Carolin, die acht Wochen nach der Geburt an ihren Arbeitsplatz zurückkehrte, gab ihre kleine Tochter in die Obhut einer Kinderkrippe. Rückblickend beschreibt sie diese Zeit:

> Das ging gut, weil die Einrichtung nur zehn Minuten von meinem Arbeitsplatz entfernt war und wir auch nicht weit weg wohnten – so daß es erlaufbar war oder dann nur zwei Kilometer jeweiligen Radius hatte. D.h. ich konnte Lilly morgens auf dem Weg zur Arbeit abgeben und hatte mir sogar vorgenommen und das auch geschafft, die sechs Monate voll zu stillen. Ich bin dann auch mittags in die Krippe gegangen, wir haben das so abgepaßt, daß es meistens klappte und ich sie stillen konnte. Ansonsten habe ich auch Milch abgepumpt, so daß sie die dann als Zwischenmahlzeit bekam. Das kann man ja ein bißchen professionalisieren und die Milch einfrieren. All das habe ich natürlich genutzt. Auch wenn ich auf Reisen war, habe ich es immer so organisiert, daß ich einen Raum hatte, wo ich abpumpen konnte, um den Milchfluß am Laufen zu halten. Das ist zwar irre, wenn ich mir das heute überlege und auch denke, meine Güte, was du da alles gemacht hast! Aber das ging, und ich wollte das auch und habe es hingekriegt. Und ich habe in der Betreuung der Krippe eine unglaubliche Hilfe bekommen, weil ich alle Wehwehchen dort besprechen konnte, die das Kind betrafen. *(Carolin, 36, Geschäftsführerin)*

Einige generelle Aspekte für die Wahl der richtigen Kinderbetreuung gilt es zu beachten:

- Pädagogische Zielsetzung der Betreuungspersonen
  Ob die Vorstellungen der jeweiligen Betreuungsperson vom Umgang mit Kindern Ihren eigenen entsprechen, können Sie am einfachsten überprüfen, indem Sie sich mit ihr unterhalten. Natürlich müssen die Vorstellungen nicht hundertprozentig deckungsgleich sein, schließlich wird Ihr Kind sein ganzes Leben lang mit den unterschiedlichsten Menschen zusammentreffen und von ihnen auch profitieren können. Trotzdem sollten Sie sich, Ihrem eigenen Wohlgefühl zuliebe, ein tragfähiges Urteil darüber bilden, ob Sie Ihr Kind den Umgangsformen und Sichtweisen dieser Person(en) aussetzen möchten oder nicht.

  Ich selbst bin lange Zeit jedesmal zusammengezuckt, wenn meine Tochter, die Taschen voller Gummibärchen, von ihren

Großeltern zurückkam, weil ich Angst hatte, sie könnte dort zu sehr verwöhnt und verzogen werden. Inzwischen habe ich festgestellt, daß meine Filia sehr gut zu unterscheiden weiß zwischen dem, was sie bei ihren Großeltern herausschlagen kann, und dem, was bei ihren Eltern möglich ist. Auch das ist Lebensschule. Solange Ihre Erziehungsvorstellungen und -vorgaben grundsätzlich respektiert werden, sollten Sie einen gewissen Spielraum gewähren.

- Ausstattung und Räumlichkeiten
  Öffentliche Einrichtungen haben meist deutlich weniger Platzprobleme als private Initiativen, die für wenig Raum hohe Mieten bezahlen müssen. Daher steht privaten Einrichtungen auch nicht immer ein Garten oder ein eigener Spielplatz zur Verfügung. Dafür unternehmen Krabbelgruppen- und Kinderladen-Kinder oft Ausflüge in nahe gelegene Parks, Grünanlagen oder Wiesen.
- Betreuungsschlüssel BetreuerInnen/Kinder
  Da man grundsätzlich davon ausgehen kann, daß mehr BetreuerInnen für eine intensivere Betreuung der Kinder sorgen können, ist besonders bei Kindern unter drei Jahren ein Betreuungsschlüssel von einer Erzieherin pro fünf Kinder wünschenswert. Häufiger anzutreffen und damit realistischer ist jedoch ein Betreuungsschlüssel von eins zu sechs. In privaten Einrichtungen ist die Chance auf einen besseren Verteilungsschlüssel erfahrungsgemäß größer.
- Schlafmöglichkeiten für Kinder
  Je nachdem, ob der Mittagsschlaf für Ihren Sprößling (noch) aktuell ist, sollten Sie darauf achten, daß die Möglichkeit dazu vorhanden ist. Halbtagseinrichtungen sehen ein mittägliches Nickerchen nicht vor, da diese nur eine relativ kurze Betreuungszeit haben und häufig um die Mittagszeit schließen. Zudem haben nicht alle Gruppen ausreichend Räume dafür.
- Öffnungszeiten
  Die längsten und individuellsten Betreuungszeiten bietet Ihnen die Tagespflege, bei der Sie mit der Tagesmutter oder dem Tagesvater festlegen können, wie lange Ihr Kind versorgt wer-

den soll. Natürlich ist dies unter Umständen auch die teuerste Variante. Daneben sind die meisten öffentlichen Kinderkrippen von etwa 6.30 Uhr bis 17 Uhr geöffnet. Private Initiativen variieren von wenigen Stunden in der Woche bis zur Ganztagsbetreuung.

- Kosten
  Die Höhe des Elternentgeltes ist abhängig von der gewählten Betreuungsform und bei kommunalen Einrichtungen zudem von Bundesland zu Bundesland verschieden. Außerdem gibt es bei der Berechnung des Beitrages für öffentliche Einrichtungen soziale Staffelungen.
  Die Beiträge für einen Ganztagesplatz in einer Kinderkrippe liegen, je nach Einkommenshöhe und Zuschußmöglichkeiten, zwischen 180 und 900 DM im Monat. Eine Tagesmutter kostet, je nach Betreuungsdauer und Alter des Kindes, zwischen 450 und 800 DM. Krabbelstuben kosten, je nach Betreuungsdauer, zwischen 400 und 900 DM, wobei private Initiativen häufig teurer sind als kommunale oder kirchliche Einrichtungen.
  Billiger wird es, wenn die Kleinen erst einmal drei Jahre alt sind, denn Kinderladen- beziehungsweise Kindergartensätze liegen zwischen 180 und knapp 400 DM.
- Entfernung von der Wohnung
  Einmal abgesehen vom täglichen Weg, den Sie zum Bringen und Abholen Ihres Sprößlings bewältigen müssen, sollten Sie auch daran denken, daß Ihr Kind Freundschaften schließt und irgendwann private Kinderbesuche anstehen. Es ist ein großer Vorteil, wenn Sie Ihr Kind dazu nicht erst durch die halbe Stadt oder in den Nachbarort chauffieren müssen, sondern die Besuche in relativer Nähe ihrer Wohnung stattfinden können.

Sicher fallen Ihnen noch weitere Aspekte ein, die Sie bei der Wahl der richtigen Kinderbetreuungsform berücksichtigen möchten. Schreiben Sie sich eine Liste, auf die Sie beim Gespräch mit der in Frage kommenden Erzieherin oder der Einrichtungsleitung ab und zu einen Blick werfen können.

Und wo bleiben die Väter?

Auch wenn die meisten berufsorientierten Frauen sich das etwas anders vorstellen, ist es im Regelfall immer noch so, daß Väter bei der Betreuung der Kinder im ersten Lebensjahr nur selten eine nennenswerte Rolle spielen. Da nach wie vor die Mehrzahl der Männer nach der Geburt von Kindern weiter ganztags berufstätig ist, während viele Frauen eine wie auch immer geartete Ausstiegszeit einlegen, liegt die Hauptverantwortung für das Baby bis zum Ende der Stillphase überwiegend bei der Mutter und bei den mit dem beruflichen Wiedereinstieg hinzukommenden Betreuern.

Anders ist es, wenn beide Partner ihre Arbeitszeit reduzieren, um sich die Kinderbetreuung und die Hausarbeit zu teilen, oder wenn nichtberufstätige Väter die Hauptverantwortung für das Kind übernehmen, sobald die Mutter in ihren Job zurückkehrt. Hier zeigen sich Väter als kompetente Betreuer und Hausmänner, unabhängig vom Alter der Kinder. Es ist daher ebenso erfreulich wie wünschenswert, daß ihre Zahl weiter wächst.

Generell steigt das Engagement der Väter mit zunehmendem Alter der Kinder. Das mag einerseits auf die immer noch verbreitete Ansicht zurückzuführen sein, Männer eigneten sich nicht zum Umgang mit Säuglingen, was sich prompt in männlicher Zurückhaltung ausdrückt. Andererseits kann das Phänomen aber auch in einer symbiotischen Mutter-Kind-Beziehung begründet sein, die für eine dritte Person keinen Raum läßt. Tatsache ist, daß die elterlichen Anteile an der Kinderbetreuung ausgewogener werden, sobald eine Frau an ihren Arbeitsplatz zurückkehrt. In der Regel werden Kinder, die sich tagsüber bei einer Tagesmutter oder in einer Betreuungseinrichtung befinden, in der übrigen Zeit zu relativ *gleichen Teilen* von Vater *und* Mutter betreut.

Wie regeln wir den Haushalt?

> Was das Kind angeht, hat er *[der Vater]* von vorneherein vieles völlig selbstverständlich mitübernommen. Aber natürlich blieb in der Zeit, in der ich zu Hause war, auch vieles an mir hängen, denn ich war ja zu Hause. Also da lief's völlig nach klassischem Schema, ohne jeden Abstrich. *(Martina, 38, Lektorin)*

Zufrieden mit seinem Engagement rund um das Kind, aber tote Hose im Haushalt – so oder ähnlich beschreiben viele beruflich engagierte Frauen die häusliche Aufgabenverteilung während der Babyzeit (und mitunter auch danach).

In beiden Bereichen zufrieden äußern sich vor allem jene Frauen, die relativ schnell wieder ganztags arbeiten, beziehungsweise jene, deren Partner schon vor der Geburt des Kindes im Haushalt und in der Partnerschaft *sehr aktiv* waren und dies auch nach der Geburt weiter sind, unabhängig davon, ob die Frau beruflich pausierte oder nicht. In allen anderen Fällen ging die Haushaltsbeteiligung des Mannes nach der Geburt des Kindes zurück.

Die Faustregel ist also: *Je länger Sie beruflich pausieren, desto größer ist die Gefahr, daß sich in Ihrer Familie traditionelle Strukturen einschleichen, die Sie früher wahrscheinlich empört abgelehnt hätten.* Im Klartext heißt das, die Frau übernimmt in der Zeit des beruflichen Ausstiegs mehr und mehr Verantwortung für Haushalt und Kind, während sich der Mann verstärkt auf den Beruf konzentriert. Diese Tendenz hebt sich mit dem beruflichen Wiedereinstieg der Frau nicht automatisch auf, sondern hält in vielen Fällen an.

Genauso erlebte es Karola, die sich bis zur Geburt ihres ersten Kindes sämtliche Hausarbeiten mit ihrem Mann geteilt hatte und danach begann, den Haushalt in eine Ein-Frau-Show zu verwandeln. Dabei befand sie sich mitten im Studium und legte keineswegs eine Pause ein. Es bedurfte etlicher Konflikte und Auseinandersetzungen, bis sie und ihr Mann eine einvernehmliche Lösung fanden.

Als Lena dann auf der Welt war, habe ich automatisch, einfach weil ich mehr zu Hause war, im Haushalt mehr gemacht. Das war auch erst mal in Ordnung, und wenn Volker da war, hat er alles mitgemacht. Er hat sich nie bedienen lassen, und wenn irgendwas nicht so war, wie es hätte sein sollen, war das nie ein Problem ... Aber dann hatten wir eine Zeit, wo ich einfach unzufrieden war und immer dachte, alles bleibt an mir hängen. Wir haben uns öfter gestritten, weil Volker immer meinte, dann sage doch, worauf du keine Lust hast, dann mache ich das. Und ich dachte, der kommt abends heim, und wenn wir dann erst anfangen, uns abzusprechen, wer was macht, dann ist Chaos bis abends um neun Uhr. Dann haben wir eine ganz klare Regelung gefunden. Wir haben aufgelistet, was alles zu machen ist, wer was gerne macht, wer was übernimmt, und wie es zeitlich paßt. *(Karola, 38, Erzieherin)*

Seien Sie also auf der Hut. Auch wenn es Sie anfänglich nicht stören mag, den Haushalt »mitzumachen«, weil Sie glauben, in der Babyzeit soooo viel Zeit zu haben, laufen Sie Gefahr, in einen Teufelskreis zu geraten, aus dem Sie so schnell nicht wieder herauskommen. Ihr Partner wird sich freudig und schnell an die neue Arbeitsverteilung gewöhnen – aber versuchen Sie mal, das Ganze wieder rückgängig zu machen, etwa wenn Sie in Ihren Beruf zurückkehren.

Die Erfahrungen anderer Frauen zeigen, daß es meistens bei der bestehenden Zuständigkeit bleibt: Sie ist berufstätig und kümmert sich um Kind und Haushalt, er ist berufstätig und macht Karriere. Es ist besser, Sie lassen es gar nicht so weit kommen. *Achten Sie gerade nach der Geburt Ihres Kindes darauf, daß Ihr Partner seinen Anteil an der Haushaltsarbeit behält und von Anfang an bei der Kinderbetreuung dabei ist, damit Sie später nicht mit Grundsatzdiskussionen versuchen müssen, eingefahrene Muster in Frage zu stellen.*

Erfahrungsgemäß sind es vor allem zwei Aspekte, deren Aufeinandertreffen den Grundstein für häusliche Dramen legt: zum einen die fast ausnahmslos vorhandene unterschiedliche Schmutztoleranz bei Männern (hoch) und Frauen (gering), zum anderen der unterschiedlich ausgeprägte Organisationsdrang von Männern (niedrig) und Frauen (hoch). Beides zusammen – die ausgeprägte männliche Immunität gegen Schmutz und ein geringes Organisationsbedürfnis, gepaart mit dem hohen Sauberkeitsanspruch und Organisationsdrang der Frau – führt fast zwangsläufig zu Konflikten und zur Mehrarbeit der Frau! Sylvia weiß dies für ihre Beziehung mit klaren Worten auf den Punkt zu bringen:

> Ich glaube, da ist es bei uns nicht viel anders als in anderen Beziehungen auch. Es gibt ein paar Sachen, die sind vielleicht männer- und frauenspezifisch. Der Klaus kann es zum Beispiel sehen, wenn sich die Wäsche stapelt und überall herumliegt. Und er kann sich mitten reinsetzen und Zeitung lesen. Ich kann das nicht. Ich fühle mich da nicht wohl …
>
> *(Sylvia, 45, Lehrerin)*

Ein dritter brisanter Faktor im häuslichen Zusammenspiel ist eine unklare Aufgabenverteilung zwischen den Partnern. Wer die Erledigung von Hausarbeiten mehr oder weniger dem Zufall überläßt, muß oft entnervt feststellen, daß er oder sie damit die falsche Erwartung verknüpft hat, der Partner oder die Partnerin würde von sich aus Dinge erledigen. Dem ist jedoch aus den oben geschilderten Gründen nicht so. Ehe er registriert, daß der Schmutz nun wirklich hoch genug liegt, um den Staubsauger zu schwingen, hat sie wahrscheinlich schon zweimal zähneknirschend gesaugt. Was ihm wiederum das Gefühl gibt, gar keine Chance zu haben, sich freiwillig zu beteiligen, weil sie ihm jedesmal zuvorkommt. Vielleicht kommt auch Ihnen die folgende Situation bekannt vor:

> Bei uns ist das alles ein bißchen dem Zufall überlassen. Wer halt gerade mal Wäsche wäscht oder die Spülmaschine aus- und einräumt. Ich habe oft das Gefühl, daß ich mehr mache, weil es mich eben viel mehr stört. Ich gehe dann einfach mal schnell hin und räume das weg, weil ich mir sage, »das sind doch nur zwei Minuten«. Und bevor ich mit Klaus darüber diskutiere – das dauert dann wieder eine halbe Stunde und schafft gleich wieder schlechte Stimmung –, mache ich es einfach selbst. Aber in der Summe gibt es oft Reibereien, weil ich dann sage: »Ich sehe das nicht ein. Warum kannst du es nicht auch wegmachen?«
>
> *(Sylvia, 45, Lehrerin)*

Sylvia hat das Problem schon klar erkannt: Gevatter Zufall. Bei solch unterschiedlichen Voraussetzungen helfen nur klare Absprachen über die Zuständigkeiten und über die Zeiträume, innerhalb derer Dinge zu erledigen sind. Dadurch können Sie die Verantwortung für bestimmte Bereiche abgeben, und Ihr Partner kann innerhalb eines vereinbarten Zeitrahmens frei agieren.

Keine Unklarheiten gibt es dagegen bei der Frage nach dem Bereich, in dem die »Suppe am ehesten überkocht«. So unterschiedlich Paare ihr Berufs- und Familienleben auch organisiert haben, so einig sind sie sich über den Knackpunkt jeder Hausarbeit. Probieren Sie es einmal aus und lassen Sie in einer Runde berufstätiger Frauen das Wort *Putzen* fallen, und Sie haben die Einmütigkeit und Eintracht, die Ihnen auf anderen Gebieten fehlt.

Die Putzerei ist in fast allen Familien der Stein der Anstoßes und der Anlaß für endlose Debatten über Sinn und Unsinn, Notwendig-, Überflüssig- und Zuständigkeiten. Und selbst wenn Sie früher friedlich abwechselnd die Bäder geschrubbt und den Wohnzimmerteppich gesaugt haben, sind Sie vor Ärger nicht gefeit, denn, wie schon erwähnt, verschieben sich die Zuständigkeiten nach der Geburt meist zu Ungunsten der Frau.

Am schlimmsten ergeht es jenen Paaren, die vorher in verschiedenen Wohnungen gewohnt und sich über ihr Schmutz- und Putzverhalten weder Rechenschaft ablegen noch Absprachen treffen mußten. Wenn bei diesen der Bezug einer gemeinsamen Wohnung mit der Geburt des Kindes zusammenfällt, fühlen sich viele schon nach kurzer Zeit geschockt von der Wucht der Banalitäten des alltäglichen Zusammenlebens.

Wie können Sie also umgehen mit den Tretminen im Familienalltag? Wie haben diejenigen, die mit ihrem Familienleben zufrieden sind, sie entschärft? Schließlich tauchen die Probleme in allen Familien auf. Die Frage ist nur, wie gehen Frau und Mann damit um? Lesen Sie die Lösungsansätze zufriedener Paare, die *Goldenen Regeln der Hausarbeit!*

- *Verteilen Sie die Zuständigkeiten klar und eindeutig,* damit Ihre Aufgaben überschaubar und überprüfbar werden. Schließen

Sie, wenn es sein muß, Verträge über die Verteilung der Hausarbeit, mit Wochenplänen und allem drum und dran. Männer kennen sich mit Verträgen aus. Auch wenn mancher nicht versteht, warum die Fenster diese Woche und nicht erst nächsten Monat geputzt werden müssen, ist jedem klar, daß ein vertraglich festgehaltener Termin eingehalten werden muß. Außerdem können Sie in diese Verträge Ihren weiblichen Organisationsdrang umlenken. Ganz abschalten können Sie ihn nicht, und mit dem, was Ihnen bleibt, haben Sie immer noch genug zu tun.
Karola zum Beispiel hat es geschafft. Sie konnte durch die klare Verteilung der Haushaltsaufgaben bestimmte Bereiche loslassen und so auch Zustände, die nach ihrem Verständnis Unordnung bedeuteten, besser tolerieren.

Zum Beispiel das Aufräumen: Als klar war, ich bin dafür nicht mehr zuständig, konnte ich in einem unaufgeräumten Wohnzimmer ruhig sitzen. Das konnte ich vorher nicht, das hat mich genervt. Mir hat diese klare Aufteilung sehr geholfen. Ich fühlte mich einfach nicht mehr so verantwortlich.

- *Verteilen Sie die Aufgaben nach Gusto und nicht streng nach dem Fifty-fifty-Prinzip.* In fast allen Beziehungen gibt es typische Frauen- und Männerdomänen, die Sie beibehalten sollten, wenn es dazu beiträgt, daß jeder von Ihnen seinen Part erledigt. So sind Reparaturen und Einkäufe, vor allem Großeinkäufe, allgemein klassische Männeraufgaben, während sich Bügeleisen fast ausnahmslos in Frauenhänden befinden. Gemischte Bereiche mit wechselnden Anteilen sind die Wäsche, der Abwasch und Spülmaschinenbetreuung, Staubsaugen, Kochen und Aufräumen.
Finden Sie heraus, wer von Ihnen was am liebsten macht, und nehmen Sie entsprechende Einteilungen vor. Den meisten reichen mündliche Vereinbarungen, bei anderen müssen es ausgedruckte Wochenpläne zum Abhaken sein. Erlaubt ist alles, was Ihnen hilft!

- *Lassen Sie sich gegenseitig die Freiheit, die übernommenen Aufgaben innerhalb eines abgesprochenen Rahmens nach eigenem Belieben zu erledigen,* wann und wie Sie beide es für richtig halten! Vielen Frauen fällt es schwer, an diesem Punkt lockerzulassen. Wenn Ihr Partner zugesagt hat, innerhalb der nächsten drei Tage staubzusaugen, dann hat er auch das Recht, bis zum letzten Tag zu warten, selbst wenn *Ihnen* der Dreck jetzt schon viel zu dick liegt. Nach Ablauf der Frist haben Sie das Recht, auf Einhaltung der Abmachung zu pochen, ohne als »Putzteufel« dazustehen.
- Manche Lösungen sind nicht ganz billig, dafür aber einfach und ungeheuer wirkungsvoll: *Engagieren Sie eine Putzfrau!!!* Dies ist der letzte und entscheidende Punkt, denn ohne externe Entlastung im Haushalt läuft nichts. Meinen Umfragen zufolge haben alle Familien, in denen die Frau mit der Verteilung der Hausarbeiten zufrieden ist, eine Putzfrau. Und auch die Gegenprobe geht auf: Dort, wo Frauen mit der häuslichen Arbeitsverteilung unzufrieden sind, sorgt meist keine Putzfrau für Entspannung.

Dabei ist es nicht die von einer Putzfrau übernommene Arbeit allein, die den Haussegen im Lot hält. Es ist auch und vor allem die Tatsache, daß dort, wo Putzfrauen ihr magisches Werk verrichten, die Männer viel eher bereit sind, sich die restlichen Aufgaben mit ihrer Partnerin zu teilen. Scheinbar wird die Hausarbeit durch die Mitarbeit einer Putzkraft für Männer auf ein derart überschaubares Maß reduziert, daß sie bereit sind, die Hälfte der verbleibenden Aufgaben zu übernehmen. Umgekehrt fühlen sich vermutlich viele Männer von dem Berg an häuslichen Aufgaben so entmutigt, daß sie gar nicht erst den Versuch machen, ihn mit der Partnerin zusammen anzugehen. Ich kann Ihnen aus eigener und nach übereinstimmender Erfahrung zufriedener Frauen nur ans Herz legen, sich die Putzarbeit vom Halse zu schaffen. Vielleicht stellen dann auch Sie erfreut fest, daß sich mit der Entschärfung der gefährlichsten Tretmine viele andere in Luft auflösen.

Tips & Tops für die Babyzeit

- Versuchen Sie es so einzurichten, daß Ihr Partner nach der Geburt des Kindes einige Zeit mit Ihnen und dem Kind verbringen kann.
- Lassen Sie Ihrem Partner Raum, sich von Anfang an eigenverantwortlich um das Kind zu kümmern. Korrigieren Sie ihn nicht, wenn Sie glauben, er mache etwas falsch.
- Wenn Ihr Partner gleich arbeiten muß, sorgen Sie dafür, daß Sie nach der Geburt Unterstützung und Gesellschaft haben. Bitten Sie Mutter, Schwiegermutter, Schwester oder Freundin, sich um Sie zu kümmern.
- Unternehmen Sie in der Babyzeit viel mit anderen. Verabreden Sie sich mit Freundinnen und/oder anderen Müttern und gehen Sie ab und zu für ein paar Stunden ohne Kind weg.

zum Thema Hilfe

- Nehmen Sie angebotene Unterstützung an, sonst wird sie vielleicht nicht noch einmal angeboten.
- Verlassen Sie sich darauf, daß Ihre Helfer »Nein« sagen können und werden. Es ist nicht Ihre Aufgabe, Freunden oder Verwandten durch Nichtannahme angebotener Unterstützung die Entscheidung abzunehmen.
- Treffen Sie frühzeitige Absprachen, damit sich alle darauf einstellen und Sie das Helfen und Hilfeannehmen gemeinsam üben können.
- Vereinbaren Sie Hilfe nur mit den Menschen, denen Sie vertrauen.
- Wenn Sie keine Helfer im Freundes- oder Verwandtenkreis haben, holen Sie sich Hilfe von außen, sobald Sie es sich leisten können. Dies gilt für die Kinderbetreuung ebenso wie für die Hausarbeit und ist vor allem für Alleinerziehende wichtig.

zum Thema Großeltern

- Klären Sie mit Ihrem Partner, ob Sie beide ein gutes Gefühl dabei haben, Ihr Kind den Eltern/Schwiegereltern anzuvertrauen.
- Fragen Sie sich, ob Sie grundsätzlich das Gefühl haben, daß Ihre Eltern/Schwiegereltern Ihre Erziehungsvorstellungen respektieren.
- Unterschiedliche Erziehungsprinzipien sind kein Hindernis, solange die Kluft nicht zu groß wird. Aber: Zwischen Schlagen und Nicht-Schlagen liegt ein Abgrund, über den kein Weg führt.
- Wenn Sie auf vorsichtige Distanz gehen müssen, tun Sie es. Das ist besser, als zu lange gute Miene zu bösem Spiel zu machen und damit zu riskieren, daß die Situation eskaliert.

- Keine Panik vor den ersten Gummibärchen! Großeltern sind zum Verwöhnen da. Solange sie die von Ihnen gesetzten Grenzen respektieren, sollten Sie ihnen gewisse großelterliche Freiheiten lassen.
- Wenn Ihre Eltern/Schwiegereltern weiter entfernt wohnen, Sie aber einen intensiveren Kontakt wünschen, müssen Sie auch etwas dafür tun. Warten Sie nicht jahrelang, ehe Sie die Generationen zusammenbringen, sonst sind Oma und Opa am Ende zu alt und Ihr Sprößling hat keine Lust.

für den Beruf

Beantworten Sie sich folgende Fragen:

- Wie sehen meine beruflichen Pläne aus?
- Wie sehen die beruflichen Pläne meines Partners aus?
- Wie lange kann ich aussteigen, ohne den Anschluß zu verlieren?
- Wie gut kann ich während der Babypause Kontakt zur Arbeitsstelle halten, bzw. kommt für mich auch im Erziehungsurlaub eventuell eine Teilzeitarbeit (bis zu 19 Wochenstunden) in Betracht?
- Welche Erfahrungen haben andere Frauen in meinem Betrieb mit Teilzeitarbeit/flexiblen Arbeitszeitregelungen/Home office gemacht? Kann ich mir ähnliche Modelle für mich vorstellen?
- Wie gut kann ich mich auf die Mitarbeit meines Partners verlassen? Welche Prioritäten setzt er?
- Überlegen Sie sich frühzeitig, welche Arbeitszeitregelungen Ihnen günstig erscheinen. Machen Sie Ihrem Chef Vorschläge, wie es nach der Babyzeit weitergehen könnte.
- Rechnen Sie damit, auch später noch an Ihrem Vereinbarungsmodell feilen zu müssen.
- Gehen Sie nach dem Ende der Babyzeit nicht mit der Einstellung in den Beruf zurück, es allen beweisen zu müssen.
- Vergessen Sie nicht: Mit Spaß an der Sache geht es Ihnen besser und Sie sind besser im Beruf, in der Partnerschaft und als Mutter.

für die Kinderbetreuung

- Beginnen Sie rechtzeitig und gründlich mit der Organisation der Kinderbetreuung. Warten Sie nicht bis kurz vor Ende der Ausstiegszeit.
- Richten Sie sich bei der Wahl der Kinderbetreuung nach *Ihrem* Gefühl und *Ihren* Bedürfnissen.
- Wenn Sie eine Familienbetreuung anstreben: Sprechen Sie mit Ihren Verwandten rechtzeitig darüber, wie die Betreuung aussehen könnte und gönnen Sie sich und ihnen Zeit zum Üben.

- Wenn Sie eine Fremdbetreuung anstreben: Besuchen Sie Einrichtungen, die Sie interessieren, und führen Sie etwa sechs bis neun Monate vor der angestrebten Aufnahmezeit Vorgespräche.

Achten Sie auf
- Öffnungszeiten
- pädagogische Zielsetzung
- Betreuungsschlüssel
- Ausstattung
- Entfernung vom Wohnort
- Kosten
- Einbeziehung der Eltern
- Schlafmöglichkeiten, Essen ...

für die Hausarbeit
- Übernehmen Sie auf keinen Fall die ganze Hausarbeit, auch wenn Sie für einige Zeit zu Hause sind und Ihr Partner weiter berufstätig ist.
- Verteilen Sie die Zuständigkeiten klar und eindeutig.
- Verteilen Sie die Aufgaben nach Gusto und nicht streng nach dem Fifty-fifty-Prinzip.
- Lassen Sie sich gegenseitig die Freiheit, übernommene Aufgaben innerhalb eines abgesprochenen Rahmens nach eigenem Belieben zu erledigen.
- Engagieren Sie eine Putzfrau!

6. Kapitel **Nachwehen – Wissenswertes über den »Babyblues«**

Sie sind hochqualifiziert und beruflich erfolgreich. Das Zusammenleben mit Ihrem Partner klappt gut, Sie sind beide gesellschaftlich aktiv, genießen das Leben und haben schon einiges zusammen erlebt. Eigentlich fehlt zu Ihrem Glück nur noch eines – ein Kind. Sie träumen davon, wie es ist, Mutter zu sein und ein niedliches kleines Baby in den Armen zu halten. Sie wären sogar bereit, dafür eine Weile aus dem Job auszusteigen, damit Sie mit Ihrem Kind die erste Zeit, die für seine Entwicklung so ungemein wichtig ist, richtig genießen können.

Natürlich ahnen Sie, daß das Leben mit einem Neugeborenen auch anstrengend werden kann, aber da Sie Ihr Leben bisher erfolgreich gemeistert haben, sind Sie zuversichtlich, auch mit der neuen Situation der Mutterschaft gut fertig zu werden. Wenn Sie sich nur liebevoll und entspannt genug auf Ihr Kind einlassen, werden Sie sicher nicht so kaputt und genervt herumlaufen wie viele andere junge Mütter. So schwer kann es schließlich nicht sein, ein kleines Kind zu betreuen. Außerdem schlafen Babys anfangs die meiste Zeit. Da können Sie vielleicht sogar noch ein bißchen nebenher arbeiten. Und schließlich ist ja noch Ihr Partner da, der anders als viele seiner Geschlechtsgenossen von vorneherein versprochen hat, seine Rolle als Vater ernst zu nehmen.

Auch die Partnerschaft werden Sie beide keinesfalls vernachlässigen. Man hört ja überall, wohin das führt: Erst kommt das erste Kind, dann das zweite und dann die Scheidung. Aber nicht bei Ihnen! Ihr Kind wird die Krönung Ihrer Liebe. Sie werden es mit Geduld und Verständnis zu einem unabhängigen, selbstbewußten jungen Menschen erziehen, auf den Sie einmal stolz sein können. Schließlich wissen Sie heute viel besser Bescheid, wie man das macht – im Gegensatz zu Ihren Eltern. Jedenfalls wissen Sie genau, wie Sie es nicht machen wollen. Obwohl Sie keine

Mutterglucke sein werden, wird die Mutterschaft bei Ihnen nicht einfach nebenherlaufen. Sie werden sich rechtzeitig informieren, sich bewußt und liebevoll auf Ihr Kind einlassen und ihm so die notwendige Sicherheit geben, die es braucht, um zufrieden und glücklich zu sein. Und ein glückliches Kind hat glückliche Eltern. Dann ist das heißersehnte Wunschkind endlich da, und plötzlich …

> … Ich habe es nicht genossen. Es tut mir heute noch leid. Ich fand es schon ganz schön manchmal, aber meistens fand ich es anstrengend und ach, ich war erschöpft. Nein, ich war keine Babymutter. Und daß ich glücklich und aufgebaut war davon, das kann ich nicht sagen. Überhaupt nicht. Im Grunde lag ich immer im Bett und habe darauf gelauert, daß dieses Kind sich meldet und schreit und an die Brust will. Ich kann das überhaupt nicht verklären, ich fand es einigermaßen scheußlich! Ich habe mich erst mal gar nicht rausgetraut. Ich wußte nicht mal, wie man Teefläschchen macht. Es war, als würde ich mein ganzes Leben von neuem anfangen. Ich war total hilflos … und hatte wahnsinnige Angst, daß der Kleine krank wird oder Husten hat, das haben die ja in dem Alter immer wieder, und das hat mich alles ziemlich in Panik versetzt. *(Marion, 50, Lehrerin)*

Wie paßt das zusammen, die rosaroten Träume und die von Marion geschilderte Realität? Denn Marion ist kein Einzelfall. Viele gutausgebildete, beruflich erfolgreiche Frauen fühlen sich nach der Geburt ihres ersten Kindes buchstäblich überfahren von dem, was auf sie zukommt und was das Baby ihnen abverlangt. Eine große Zahl von Frauen berichtet, keineswegs ausschließlich schöne Erinnerungen an die Anfangszeit mit dem Kind zu haben. Prägend für diese negativen Erinnerungen sind vor allem Gefühle wie *Hilflosigkeit, Angst, Überforderung, Langeweile, Frustration und Alleingelassensein*.

Daß die Bereitschaft, ein Kind freudig anzunehmen und es inniglich zu lieben, keine Garantie für eine schöne Babyzeit ist, habe Sie schon im vorangegangenen Kapitel erfahren. Und Sie kennen jetzt die Faktoren, die Frauen als günstig für eine schöne Zeit mit dem Kind und für den Wiedereinstieg beschreiben

(Mithilfe durch Partner und Umfeld, ein passendes Wiedereinstiegsmodell, eine klare innere Einstellung, eine gute Kinderbetreuung und Haushaltsorganisation). Ich möchte Ihnen deshalb in diesem Kapitel aufzeigen, welche Bedingungen Frauen die Anfangszeit mit Kind erschweren können, wenn sie nicht im Vorfeld bedacht werden und sie keine Gelegenheit haben, sich darauf einzustellen.

Ahnungslos in Wolkenkuckucksheim

Obwohl keine Frau am Thema Kinderkriegen vorbeikommt, haben trotzdem nur wenige konkrete Vorstellungen davon, was ein Leben mit Kindern bedeutet. Dies gilt in besonderem Maß für beruflich engagierte Frauen, die sowohl den Kinderwunsch als auch das Kinderkriegen relativ spät angehen und kaum Kontakt zu Müttern mit kleinen Kindern haben. Zudem wird in unserer Gesellschaft nicht gerade das Hohelied der Toleranz gesungen, wenn es um das Verhältnis von Menschen mit und ohne Kindern geht. Zwischen ihnen verläuft ein Graben, über den kaum ein Steg führt. Im Gegenteil! Politisch motivierte Diskussionen über die Einführung von Sondersteuern für Kinderlose und ähnlich polarisierende Einfälle vergrößern die Kluft noch. Und selbst da, wo im Bekannten- oder Freundeskreis Familien mit Kindern vorhanden sind, verhindern nicht selten ein unterschwelliges Konkurrenzgefühl und der Druck zur Rechtfertigung der eigenen Lebensweise einen ehrlichen Austausch.

Ob es um die Kinderfrage selbst geht oder – nach diesem Entschluß – um elterliche Grundsatzentscheidungen zum Stillen oder Impfen, der Kindererziehung und -betreuung, auf keinem anderen Gebiet sehen Menschen ihre Lebenseinstellung so schnell in Frage gestellt wie beim Thema Kinder. Und mit fast religiösem Eifer wird die eigene Maxime gegenüber anderen verfochten. Dort, wo die Kämme zu sehr anschwellen, bleibt ein offener, unvoreingenommener Austausch notgedrungen auf der Strecke.

Romantische Träume und unrealistische Vorstellungen können sich daher mitunter erhalten, bis es für eine Korrektur zu spät ist und der Babyschock eine Frau Knall auf Fall aus ihrem Wolkenkuckucksheim holt.

Muttermythos als Gefühlsfalle

Auch der Muttermythos ist nicht dazu angetan, Frauen eine klare Einschätzung davon zu vermitteln, was mit der Geburt eines Kindes auf sie zukommt. Viele glauben immer noch, die Liebe zum Kind stelle sich mit der Geburt praktisch von selbst ein, und sind dann entsetzt oder enttäuscht, wenn sie feststellen, daß sich ihr Verhältnis zum Kind ebenso entwickeln muß wie das zu anderen Menschen. Oftmals suchen sie dann bei sich nach Fehlern und fragen sich, was bei ihnen »schiefgelaufen« ist, wo doch alle anderen Mütter mit verklärtem Blick herumlaufen. Doch das Rätsel des verklärten Blickes hat eine ganz andere Auflösung. Er ist bei den meisten Frauen nichts als reine Übermüdung!

Auch Gefühle wie Frustration, Langeweile und Wut sind im Muttermythos nicht vorgesehen, weil dieser vorschreibt, daß Mütter in ihren Kindern automatisch Erfüllung finden. Wer sich mit einem brabbelnden Säugling langweilt oder das Hausfrauendasein als unbefriedigend empfindet, denkt da schnell an persönliches Versagen. Was natürlich Unsinn ist. Das sollten Sie sich unbedingt klarmachen, wenn der große Frust Sie überkommt. Noch besser ist es, Sie springen über Ihren Schatten und vertrauen sich einer Freundin an. Höchstwahrscheinlich wird Ihnen diese vor Freude die Nase küssen, weil endlich jemand den Mut hat, das auszusprechen, was alle erleben.

Superfrau, Supermutter, Superkind

»Wer im Beruf erfolgreich war, Karriere machte und selbständig ist, setzt oft zu hohe Erwartungen in die Mutterschaft – die doch eigentlich nicht *mehr* sein sollte als die natürlichste Sache der Welt. In den letzten zehn Jahren haben wir angefangen, eben diese natürlichste Sache der Welt auf einen Sockel zu stellen und einen Mythos drumherum zu bauen. Diese Mythologie verordnet Glück, auch wenn man nur Beschwerlichkeit empfindet. Sie verlangt Leichtigkeit, auch wenn die Umstellung so mühevoll ist. Sie fordert Perfektionismus, selbst wenn sich Unsicherheit breitmacht«, schreibt Gertrud Teusen in ihrem Buch »Das erste Kind verändert alles«.[43]

Vor allem berufsorientierte Frauen laufen also Gefahr, mit viel zu hohen Erwartungen in die Mutterschaft zu gehen. Sie haben das Kinderkriegen länger als andere Frauen hintangestellt, sich im Beruf qualifiziert und bewährt. Sie sind es gewohnt, Dinge zum Erfolg zu führen, und glauben, alles schaffen zu können, wenn sie es nur geschickt anpacken. Wenn solche erfolgreichen Frauen für eine Weile aus ihrem Job aussteigen, hängen sie damit nicht gleichzeitig ihre Erwartungen an den Nagel. Diese werden nur verlagert – auf die Mutterschaft. Waren Sie bisher Superfrau, so wollen sie nun auch Supermutter mit einem Superkind werden:

> Ich kam mir eigentlich immer vor wie eine Tigerbändigerin, also daß möglichst das Baby ruhig ist und alles klappt. Ich hatte immer nur das Gefühl, jetzt muß alles klappen. Der Haushalt muß klappen, mein Beruf muß klappen, ich muß klappen, das Kind muß klappen, alles muß klappen. *(Michaela, 30, Außendienstmitarbeiterin)*

Doch auch Frauen, die im Berufsleben negative Erfahrungen gemacht haben und enttäuscht wurden, suchen manchmal in der Mutterschaft Erfüllung, denn sie ermöglicht »in besonderer Weise die Entfaltung jener weiblichen Eigenschaften und Erfahrungen, die in der Berufswelt nur teilweise gefragt sind oder lediglich in fremdbestimmter Form ausgebeutet werden (z.B. in typischen Frauenberufen)«.[44] Kein Wunder, daß manche frischgebackene Mutter schockiert und enttäuscht ist, wenn sie feststellt, daß die Mutterschaft ihr nicht die erhoffte innere Erfüllung schenkt, ihr dafür aber ungeheuere Anstrengungen abverlangt, die vielfach in keinem Verhältnis zu dem stehen, was sie dafür bekommt.

Machen Sie sich klar, daß ein Kind einer erwachsenen Frau

weder die Anregungen eines erwachsenen Umfeldes ersetzen kann, noch sie für erlittene Enttäuschungen und Fehlschläge entschädigt. *Ein Baby ist kein Ersatz für Partner, Job, Freunde, Religion oder was immer uns Befriedigung verschafft, und wir dürfen nicht erwarten, daß dahingehende Bedürfnisse durch die Geburt eines Kindes plötzlich wegfallen.*

Kinder als Beziehungssprengstoff

Zur gefährlichsten romantischen Vorstellung gehört der Glaube, ein Kind sei die Krönung einer schönen Liebesbeziehung und werde aus dem Glück zu zweit ein Glück zu dritt machen. Diese Rechnung funktioniert leider nur beim leblosen Objekt. Wenn Sie zwei schöne Vasen besitzen und sich eine dritte kaufen, haben Sie drei schöne Vasen. Kommt bei zwei glücklichen Erwachsenen dagegen ein drittes Menschlein dazu, können am Ende auch drei unglückliche Menschen herauskommen. *Ein Kind erhöht Ihr Liebesglück nicht, sondern es bedeutet für Ihre Partnerschaft eine harte Bewährungsprobe.* Es stellt Ihr Leben und Ihre Beziehung völlig auf den Kopf und zwingt Sie, das, was früher oft wie von selbst funktionierte, durch bewußten Einsatz und durch Arbeit aufrechtzuerhalten.

Paare, die schon vor der Geburt ihres Kindes Probleme hatten, müssen häufig feststellen, daß sich diese nach der Geburt nicht in Luft auflösen, sondern vervielfachen. Und selbst dort, wo die Konflikte bisher nur verdeckt vor sich hinköchelten, fliegt nach der Ankunft des Kindes schnell der Deckel vom Topf. Die meisten Paare durchleben nach der Geburt Ihres Kindes handfeste Beziehungskrisen (mehr dazu in Kapitel 7).

> Ich denke, das Problem war nicht das Kind, sondern die Beziehung. Das ist mir natürlich erst später klargeworden. Ich habe immer gedacht, das Leben mit Alexa ist unheimlich viel, und sie ist ein wahnsinnig forderndes Kind, ein anstrengendes Kind. Aber wenn ich mir das zurückblikkend angucke, war es das gar nicht. Es war in Wirklichkeit die Beziehung, die gekrankt hat. *(Dagmar, 37, Gestalterin)*

Den richtigen Zeitpunkt gibt es nicht

Manche Frauen werden ungeplant schwanger und entscheiden sich trotz ihrer Zweifel für das Kind, weil sie meinen, es gäbe keinen idealen Zeitpunkt zum Kinderkriegen, also könnten sie es genausogut auch gleich tun. Außerdem bedeute ein Kind in jedem Fall massive Veränderungen, Verzicht und die Zurücknahme eigener Interessen. Doch das ist nur die eine Seite. Die meisten Frauen führen schon vor der Schwangerschaft ein erfülltes Leben und müssen darin für ein Kind erst Platz schaffen. Das kann bedeuten, die eigenen Hobbys einzuschränken, in der Partnerschaft kürzerzutreten, beruflich zumindest zeitweise zurückzuschrauben, finanziell und arbeitsmäßig stärker unter Druck zu stehen – die Liste läßt sich beliebig fortführen. Von daher gibt es wohl tatsächlich nie den *idealen* Zeitpunkt. Doch es gibt sehr wohl Lebensumstände, unter denen die Geburt eines Kindes schwerwiegendere Folgen haben kann und die notwendigen Opfer mehr schmerzen als zu anderen Zeiten. Dazu zählen:

- keinen oder einen unfreiwilligen Vater für das Kind haben
- eine Beziehung, die erst seit kurzem besteht
- eine von unterschwelligen oder offenen Konflikten belastete Partnerschaft
- chronischer Geldmangel und
- problematische Arbeitsverhältnisse

Das sind schlechte Voraussetzungen für eine Schwangerschaft. In solchen Fällen kann sich hinterher durchaus herausstellen, daß der Zeitpunkt für ein Kind der *falsche* war.

Ein Kind hat viel zu große Konsequenzen für Ihr Leben, um sich, wenn alles andere dagegen spricht, dafür zu entscheiden, nur weil Sie prinzipiell gegen Abtreibung sind. Und wenn Sie nicht recht wissen, was Sie machen sollen, Ihnen aber keine stichhaltigen Gründe gegen ein Kind einfallen, haben Sie in jedem Fall noch nicht gründlich genug nachgedacht. Egal, ob Sie sich dafür oder dagegen entscheiden, begründen sollten Sie Ihren Entschluß schon können.

Probleme in der Partnerschaft, mit dem Job oder den Finanzen reichen völlig aus, um Ihnen das Leben zu vermiesen. Sie können viel zusätzlichen Streß und Kummer vermeiden, wenn Sie sich in einer solchen Situation ehrlich eingestehen, daß es trotz Ihrer Bereitschaft für ein Kind der falsche Zeitpunkt ist.

Allen geht es ähnlich, aber keine spricht es aus

Die Erkenntnis, daß alle Mütter nach der Geburt eines Kindes mit Empfindungen wie Hilflosigkeit, Angst, Überforderung, Langeweile, Frustration und Alleingelassensein Bekanntschaft machen, ist zwar nicht neu, aber trotzdem ein wohlgehütetes Geheimnis. Daß eine Mutter das Beisammensein mit ihrem drei Monate alten Baby eben manchmal als stinklangweilig empfindet und sich lieber an ihrem Schreibtisch neue Projekte einfallen lassen würde, paßt einfach nicht zum Bild der liebevollen und von ihrer Rolle zutiefst erfüllten Mutter, die es kaum abwarten kann, ihrem Liebling den ersten Kinderschokoriegel in die Hand zu drücken, weil ihre eigene Mama das auch schon getan hat. Deshalb bringen es nur wenige Frauen fertig, mit anderen darüber zu reden, und quälen sich allein mit ihren Schuldgefühlen herum.

Im Internet fand ich ein Diskussionsforum zum Thema »Langeweile mit Kindern«, bei dem eine Mutter ihre Langeweile im Zusammensein mit ihrem einjährigen Sohn und ihre Schuldgefühle -»Bin ich deswegen eine schlechte Mutter?«- zum Thema machte. Die Reaktionen darauf bestanden aus einhelliger Begeisterung über soviel Offenheit:

> Hallo an alle,
> es geht also anderen auch so wie mir. Das zu wissen, tut gut ... Ich habe noch Erziehungsurlaub, und mein Lebensgefährte ist beruflich viel unterwegs. Sicher bemühe ich mich, Kontakte aufzubauen, aber das ist gar nicht so einfach. Manchmal fällt mir schon die Decke auf den Kopf, und mein Zwerg erwartet ständig Input. Ich kann ja nicht jeden Tag einkaufen gehen.[45]

Doch gaben alle Diskussionsteilnehmerinnen der gelangweilten Mutter die gleiche Empfehlung, nämlich arbeiten zu gehen.

Wer seinem Kind zuliebe einen interessanten und befriedigenden Job ruhen läßt und plötzlich rund um die Uhr mit Stillen, Wickeln und Wäschewaschen beschäftigt ist, wird früher oder später feststellen, daß ein kleines Kind das Fehlen einer anregenden Arbeitswelt nicht ausgleichen kann. Daher ist es völlig normal, wenn Sie sich manchmal frustriert fühlen oder langweilen. Diese Erfahrung machen fast alle beruflich engagierten Frauen, wenn sie für eine Weile aus dem Berufsleben aussteigen. Irgendwann hat jede das Gefühl, ihr fällt die Decke auf den Kopf.

Rechnen Sie mit diesem Gefühl und vertrauen Sie sich anderen Menschen an, wenn es soweit ist. Die meisten Mütter sind froh, wenn eine den Mut aufbringt, darüber zu sprechen, aber die wenigsten machen von sich aus den Mund auf. Und wenn Ihnen das nicht reicht, sollten Sie sich vielleicht sagen, daß es für Sie früher als geplant Zeit ist, die Flügel auszubreiten und in die Erwachsenenwelt zurückzukehren.

Ist mein Frust normal?

Ein paar überhöhte Erwartungen und romantische Vorstellungen bringt jede Frau in die Mutterschaft mit ein. Selbst die besten Pläne und Vorbereitungen schützen nicht vor den körperlichen, seelischen und partnerschaftlichen Belastungen, die die Geburt eines Kindes und seine Versorgung mit sich bringen. Daher sind Unsicherheit, Angst, Müdigkeit, Langeweile, Wut und Frust im Umgang mit kleinen Kindern bis zu einem gewissen Grad völlig normal und *niemals* unmütterlich. Schließlich hat auch Ihr Kind nicht jeden Tag Sonntagslaune und ist deswegen auch nicht weniger kindlich. Aber Unerfahrenheit, romantische Vorstellungen, Superfrauensyndrom und falsches Timing zusammen ergeben das perfekte Streßprogramm. Jede Mutter, bei der dieser Cocktail zusammenkommt, singt früher oder später den Babyblues, weil ihre Wirklichkeit weit von ihren Erwartungen entfernt ist.

Und das sollten Sie tunlichst vermeiden, denn erfahrungsgemäß wirkt sich der positive beziehungsweise negative Gesamteindruck der ersten Zeit stark auf das Erleben der späteren Verknüpfung von Beruf und Familie aus.

Frauen, die trotz aller Anstrengungen und Umstellungen von einer schönen Babyzeit berichten, empfinden meist auch den Wiedereinstieg und ihr ausgetüfteltes Vereinbarungsmodell als gelungen. Umgekehrt wird dort, wo die Babyzeit als überwiegend belastend angesehen wird, in der Regel auch die Verknüpfung von Beruf und Familie als Überforderung erlebt.

Bei manchen Frauen allerdings übersteigen die Gefühle von Überforderung, Angst, Wut und Verzweiflung das normale Maß. »Etwa zehn Prozent aller Mütter leiden nach einer Geburt an einer Depression, auch Wochenbettdepression, postnatale oder postpartale Depression (PPD) genannt. Die PPD ist eine Krankheit. Sie äußert sich unter anderem in Erschöpfungs- und Angstzuständen, in Schlafstörungen, Teilnahmslosigkeit, aber auch in Gewaltphantasien gegen sich und/oder das Baby bis hin zu Selbstmordgedanken.«[46] Diese Krankheit geht weit über die berühmten Heultage kurz nach der Geburt hinaus und auch über gelegentlich auftauchende Gefühle von Wut und Verzweiflung angesichts der Anstrengungen des ersten Babyjahres. PPD kann sich im Laufe des ersten Jahres nach der Geburt entwickeln und verschwindet nicht von selbst. Die Ursachen sind bis heute weitgehend unbekannt, aber es steht fest, daß jede Frau von PPD betroffen werden kann, unabhängig von ihrem sozialen Status, ihrem Alter, der Anzahl ihrer Kinder oder ihrer häuslichen Situation. Frauen, die an PPD leiden, brauchen Entlastung im Haushalt und bei der Betreuung ihres Kindes, und sie brauchen die Hilfe eines Arztes oder Therapeuten. Deshalb sollten Sie sich dringend ärztlichen Rat holen, wenn Sie das Gefühl haben, daß Angst und Verzweiflung bei Ihnen nicht mehr weichen wollen.

Warten Sie nicht, bis Ihre Verzweiflung für Sie selbst und für Ihr Kind gefährlich wird. Wenden Sie sich an einen Arzt Ihres Vertrauens oder direkt an die Selbsthilfevereinigung. Die Adresse finden Sie im Anhang.

Tips & Tops: Die sieben Zutaten des Babyblues

- Romantisch-verklärte Vorstellungen und Unerfahrenheit im Umgang mit Kindern verhindern, daß Frauen vor der Schwangerschaft einen realistischen Eindruck von der Mutterschaft gewinnen.
- Der in unseren Köpfen festsitzende Muttermythos zeichnet ein falsches Bild von der Mutterschaft. Er weckt Träume und Erwartungen, denen das Leben mit einem Kind nicht gerecht werden kann.
- Beruflich engagierte Frauen sind erfolgsgewöhnt und zielstrebig. Sie laufen Gefahr, mit zu hohen Erwartungen und Absichten in die Mutterschaft zu gehen, die sie dann nicht erfüllen können.
- Ein Kind taugt nicht als Beziehungskleister! Es ist nicht die Krönung einer Liebe, sondern die ultimative Zerreißprobe. Partnerschaftsprobleme werden durch Kinder niemals besser, aber immer schlechter!
- Wer sich für ein Kind entscheidet, obwohl die Umstände ungünstig sind (Probleme in der Partnerschaft, im Job oder mit den Finanzen), muß mit Krisen rechnen und sollte sich darauf einstellen.
- Frauen tauschen sich oft zu wenig über die Schattenseiten der Mutterschaft aus, weil sie Angst haben, dem Mutterbild nicht zu entsprechen und sich als schlechte Mutter zu outen. Dabei gehören Unsicherheit, Angst, Müdigkeit, Langeweile, Wut und Frust zum Muttersein ebenso dazu wie Glück, Leidenschaft und Zufriedenheit.
- Fressen Sie Ihren Frust nicht in sich hinein! Wenn Sie das Gefühl haben, Angst, Wut und Verzweiflung gar nicht mehr loszuwerden, leiden Sie vielleicht an einer Wochenbettdepression und brauchen Hilfe. Vertrauen Sie sich einem Arzt an.

7. Kapitel **Partnerschaft – So wichtig wie noch nie!**

Als ich schwanger wurde, nahmen mein Mann und ich uns fest vor, daß sich unsere Paarbeziehung nicht verändern sollte. Auch wenn wir uns ein Kind wünschten, sahen wir keinen Bedarf, unsere Beziehung zu reformieren, weil sie uns so gefiel, wie sie war. Wir hatten keine Ahnung, was wir uns da vornahmen! Es gab auch niemanden in unserem Freundeskreis, der uns erzählt hätte, wie anstrengend es ist, mit Kind ein Paar zu bleiben. Bei diesem Thema seufzen viele junge Eltern meist resigniert, nikken verständnisvoll mit dem Kopf – und halten den Mund! Und ich fürchte, selbst wenn mir vorher jemand gesagt hätte, wie kompliziert es ist, Partnerschaft und Familie im Gleichgewicht zu halten, hätte ich es nicht geglaubt. Aber es stimmt! Elternwerden ist in unserer Gesellschaft kein »Kinderspiel«, jedenfalls nicht, wenn Sie dabei auch noch Ansprüche an Ihre Beziehung stellen.

Eltern, die vor lauter Kinderstreß schwarze Ringe unter den Augen haben, können sich der Anerkennung ihrer Freunde, Verwandten und Bekannten sicher sein. Wer dagegen seinen vierzehn Monate alten Sprößling zur Oma gibt, um es sich im sonnigen Süden für eine Woche zu zweit gutgehen zu lassen, sollte lieber nicht damit rechnen, daß ihm jemand anerkennend auf die Schulter klopft. Überhaupt wird in unserer Gesellschaft von Eltern manch seltsame Selbstbeschränkung erwartet. Hier ein kurioses Beispiel:

> Manche Sachen werden einem [als Mutter] einfach nicht mehr so zugestanden. Also ich habe mir irgendwo einen blitzblauen Nagellack gekauft. Da wurde dann mokiert, ob man das denn als Mutter so trägt. Das fand ich sehr komisch. Dieses ganz egoistische Frausein, »ich nehme mir jetzt Zeit für mich«, »ich mache mich schön« oder »ich fühle

mich schön«, daß einem auch mal selber Komplimente gemacht werden, der Lack drumrum ist ab, finde ich.

(Michaela, 30, Außendienstmitarbeiterin)

Dieses Beispiel zeigt, wie fest in vielen Köpfen die Vorstellung verankert ist, Frauen und Männer hätten als Eltern nicht länger das Recht auf ein gepflegtes Eigenleben, und das schließt eine lustvolle Partnerschaft mit ein. Und viele Paare verhalten sich auch danach. Dabei ist es gerade in Familien mit Kindern so wichtig, bewußt auf die Partnerschaft zu achten. Schließlich ist die Beziehung der Eltern das Fundament jeder Familie, sie bildet die Basis für ein glückliches Familienleben. Während Eltern in allen anderen Lebensbereichen die Gebenden sind, können sie in der Partnerschaft Kraft tanken und Liebe, Anerkennung und Geborgenheit finden. In einer guten Partnerschaft können wir uns pflegen lassen, uns gegenseitig guttun und unsere Sexualität ausleben. Darauf zu verzichten heißt, »die einzige Chance auf liebevolle Zuwendung und Zärtlichkeit«[47] zu verspielen, die wir haben (es sei denn, Sie gehen fremd). Auch wenn ihre Bedeutung gern heruntergespielt wird, ist und bleibt die Partnerschaft der Eltern das Wichtigste in einer Familie.

Die schleichende Veränderung

Paradoxerweise ist es aber gerade die Zweierbeziehung, die bei der Vereinbarung von Beruf, Familie und Privatleben häufig am schlechtesten abschneidet. Das liegt natürlich nicht daran, daß die meisten Eltern ihre Beziehung plötzlich entbehrlich finden. Der Grund ist eher in der Tatsache zu finden, daß kaum ein Paar damit rechnet, auch seine Partnerschaft auf die Geburt eines Kindes vorbereiten und danach vehement gegen Belastungen und Einschränkungen verteidigen zu müssen.

Keine beruflich engagierte Frau käme auf die Idee, sich ohne entsprechende Vorkehrungen aus ihrem Job zu verabschieden und sich in die Kindererziehung zu stürzen. In der Partnerschaft aber geschieht genau das. Hier werden in der Schwangerschaft weder Vorbereitungen noch Absprachen getroffen, wie die Beziehung in Zukunft abgesichert und mit Kind, Beruf und Alltagsleben unter einen Hut gebracht werden soll. In einer Partnerschaft gibt es eben weder feste Kündigungsfristen noch Arbeitszeiten! Daher fühlen sich die meisten Frauen in ihrer Zweierkiste viel sicherer als an ihrem Arbeitsplatz. Aber genau darin liegt auch eine Gefahr. Wenn Sie und Ihr Partner sich nicht von vorneherein für das Kommende wappnen, kann sich ein zu großes Sicherheitsgefühl irgendwann als trügerisch erweisen.

> Ich denke manchmal, daß man sich vielleicht zu sicher ist in der Partnerschaft. Man merkt, es läuft irgendwie, und bemüht sich nicht mehr so darum. Man läßt es irgendwie laufen, und dann gibt es natürlich das eine oder andere Mal, wo man sich dann anfährt, weil irgendwas nicht läuft, so daß man diese positiven Seiten der Partnerschaft in den Hintergrund geraten läßt. Aufgrund des Alltags, des Druckes, der teilweise da war, und das hat unserer Partnerschaft nicht gut getan. Wir hätten mehr Freiräume, Vergnügen und Spaß gebraucht.
>
> *(Sabine, 35, Krankenschwester)*

Eine Liebesbeziehung verändert sich mit der Geburt eines Kindes nicht schlagartig. Dagegen würden wir uns sicher alle mit Händen und Füßen wehren. Die Veränderung – und das ist gerade das tückische daran – ist ein schleichender Prozeß. Sie unterfliegt sozusagen unser Radarsystem und hat sich meist schon eine ganze Weile eingenistet, ehe wir überhaupt bemerken, daß etwas nicht mehr so ist wie früher.

Frischgebackene Eltern haben einfach anderes im Kopf als ihre Partnerschaft. Da ist zunächst die Freude über das Kind, das ab sofort im Mittelpunkt steht. Seine Versorgung, die Anpassung an seine Schlaf- und Wachrhythmen, der chronische Schlafmangel usw. halten Neueltern erst mal Tag und Nacht auf Trab. Nach einigen Wochen hat sich die erste Aufregung meist gelegt, das Leben eine gewisse Normalität zurückgewonnen – und bald ziehen am Horizont erste Gewitterwolken auf.

Wo Paare der Schuh drückt

Es ist für zukünftige Eltern kein Geheimnis, daß mit der Ankunft eines Kindes die Zeit für Zweisamkeit knapper wird. Was Nicht-Eltern sich jedoch nur schwer vorstellen können, ist das Ausmaß der Veränderungen, die die Geburt eines Kindes für ihr Leben und insbesondere die Partnerschaft mit sich bringt. Viele Eltern in spe gehen mit der Hoffnung ins Familienleben, sie könnten die Momente, die ihnen für Zweisamkeit bleiben, einfach intensiver nutzen, um die zeitlichen Einschränkungen auszugleichen. Doch das ist ein Irrtum. Intensiver wird lediglich die Zeitnot, nicht die Zweisamkeit.

Die folgenden Probleme sind für fast alle Paare mit kleinen Kindern gute Bekannte:

Zeitnot ist unter Eltern mit kleinen Kindern das absolute Thema Nummer eins. Und es ist die Beziehung, an der die größten Abstriche gemacht werden. Wenn die Tagesmutter ausfällt, setzen wir Himmel und Hölle in Bewegung, um trotzdem ins Büro zu kommen, auch für die wöchentliche Tennisstunde / Doppelkopfrunde / Joggingtour wissen wir eine Kinderbetreuung zu organisieren. Aber das romantische Abendessen zu zweit in einem schicken Restaurant, das kann im Notfall doch auch zu Hause stattfinden – und fällt damit schlichtweg aus!

Müdigkeit wird häufig als Belastung genannt, aber nicht als Beziehungsproblem angesehen. Trotzdem ist sie ein wesentlicher Faktor, der erklärt, warum es vielen Paaren so schwerfällt, etwas für sich zu tun.

Beziehungspflege wird auch in körperlicher Hinsicht anstrengend, wenn Kinder da sind. Viele Eltern fallen abends erschöpft auf die Couch und können zum ersten Mal an diesem Tag ruhig durchatmen. Kein Wunder, daß den meisten mehr danach ist, einfach die Wand anzustarren (oder den Fernseher), als weiter Programm zu machen, die Single-Klamotten aus dem Schrank zu holen und sich ins Nachtleben zu stürzen – auch wenn sie es für sich selbst tun.

Ich habe das Gefühl, daß man oft einfach gemeinsam müde ist. Manchmal bäumt man sich halt auf und probiert, Sachen anders zu machen. Wir waren zum Beispiel mal für zwei Tage zusammen in Berlin. Es war eine berufliche Einladung von mir, wo die Partner mit eingeladen waren. Das ist dann zwar schon schön, aber man steht auch immer ein bißchen unter Druck, hat nur eine gewisse Zeit, und eigentlich ist man relativ müde. Es fehlt halt immer an Zeit.

(Michaela, 30, Außendienstmitarbeiterin)

Meine Freundin Susannah schickte mir vor einiger Zeit eine E-mail, in der sie mir voller Vorfreude von ihrer bevorstehenden Londonreise (ohne Kinder) erzählte, die sie und ihr Mann sich zum zehnjährigen Hochzeitstag gönnen wollten. Doch worauf freute sich Susannah am meisten? Nicht auf die Tate Gallery, den Tower oder den Buckingham Palast – nein, sie träumte davon, sich im Luxushotel »erst mal richtig auszuschlafen«!

Zu wenig Spontaneität ist ein weiteres Handikap der Elternschaft. Viele Paare leiden darunter, spontane Einfälle nicht mehr nach Lust und Laune umsetzen zu können, sondern ihre Freizeit gezielt organisieren zu müssen. Und wie es der Teufel will, fällt der lang geplante Theaterabend genau auf jenen Tag, an dem der Sohnemann kurz vor dem Zubettgehen über 40 °C Fieber bekommt und kein Mensch mehr ans Theater denkt. Auch gute Kinofilme laufen mit rücksichtsloser Zuverlässigkeit immer dann, wenn der Babysitter gerade nicht kann.

Mangelnde Flexibilität beklagen viele Paare mit kleinen Kindern. Deshalb erschöpft sich die Beziehungspflege häufig in Aktivitäten, die ein Paar kaum vor die Haustür bringen. Gemeinsame Abende zu Hause (wo auch sonst?), Gespräche, kleine Geschenke, abends zusammen kochen und essen (ohne Kinder) sind die am häufigsten genannten Pflegemaßnahmen. Deutlich seltener sind ein gemeinsam verbrachter Abend außer Haus oder ein gemeinsam betriebenes Hobby. Kinderlose Wochenenden oder Urlaube gehören zu den echten Raritäten.

Aber Abende zu Hause oder gar Familienaktivitäten haben nicht das geringste mit Zweisamkeit zu tun. Denn es handelt sich meist nicht um Zeit, die Sie und Ihr Partner bewußt zusammen und nur für Ihre Partnerschaft verbringen. Häufig halten wir uns zwar in derselben Wohnung oder im selben Haus auf, gehen aber unterschiedlichen Tätigkeiten nach, oder wir konzentrieren uns auf die Familie beziehungsweise richten uns nach den Wünschen der Kinder. Und an vielen Abenden pflegen wir einfach gemeinsam unsere Müdigkeit. Fernsehen gehört übrigens zu letzterem!

Das Kuchenstück wird kleiner

Stellen Sie sich Ihr Leben (vor dem Kind) als große Torte vor, deren Stücke Ihre einzelnen Lebensbereiche darstellen: Arbeit und Alltag, Partnerschaft und Eigenleben. Ihre Torte ist, auch ohne Kind, komplett aufgeteilt, kein Kuchenstück ohne Bestimmung. Ein wenig größer wird diese Torte mit der Geburt eines Kindes schon, da für die meisten Eltern durch das frühe Aufstehen die Tage länger werden. Aber das reicht nicht aus. Wir müssen also, damit das Kind sein eigenes Kuchenstück erhält, bei allen übrigen ein Stückchen abschneiden. Und das tun wir. Nur schnibbeln wir nicht an allen Stücken gleich viel ab, sondern wir teilen den Kuchen höchst unterschiedlich auf. Am Tortenstück »Arbeit« beispielsweise schneiden berufsorientierte Frauen relativ wenig ab. Es hat im Vergleich zu den anderen Stücken die größte Ähnlichkeit mit früher oder ist sogar identisch. Erleichtert wird dieser Zuschnitt durch die Tatsache, daß die Berufstätigkeit in einen festen Rahmen eingebettet ist, der, einmal abgesteckt durch Arbeitsvertrag und festgelegte Arbeitszeiten, von uns auch ausgefüllt werden muß. Und das ist gut so. Der Beruf ist für Frauen viel zu wichtig, um wesentlich eingeschränkt zu werden.

Anders sieht es mit dem Bereich »Alltag« aus, denn dieses Kuchenstück wird nach der Geburt eines Kind nicht kleiner, sondern ungleich größer. Ob Putzen, Waschen, Aufräumen oder Einkaufen, die Gründung einer Familie bedeutet in jeder Hinsicht Mehrarbeit.

Aber wo kann nun gespart werden? Beim »Eigenleben« und der »Partnerschaft«! Hier gibt es keinen festen Rahmen, wir sind lediglich uns selbst und unserem Partner gegenüber verantwortlich, und dieser Umstand ermuntert offenbar zum Griff nach dem Messer. Dabei schaffen es viele noch relativ gut, auf sich selbst zu achten, regelmäßig mit Freunden wegzugehen oder Sport zu treiben, beispielsweise. Aber bei der Partnerschaft ist die Versuchung riesengroß, alles, was woanders nicht eingespart wurde, an diesem Stück der Torte wegzunehmen. Ganz Unvorsichtige haben am Ende überhaupt nichts übrig. In positiveren Fällen hat dieser Bereich vielleicht noch Pralinengröße. Aber an ein richtiges Tortenstück reicht es nur in seltenen Fällen heran.

Vielleicht spielt bei der Reduzierung der Partnerschaft auch der Gedanke eine Rolle, das Kind sei schließlich aus der Beziehung hervorgegangen, also gewissermaßen ein Teil davon, und gehöre damit zur Partnerschaft dazu. Doch diese Vorstellung ist falsch. Kinder gehören nicht zur Paarbeziehung dazu, sie schaffen eine neue Dimension – die Elternschaft. Also kann ein Kind auf Ihrer Lebenstorte auch nicht das Sahnehäubchen auf dem Kuchenstück der Partnerschaft sein, es braucht seine eigene Schnitte. Und die heißt »Familienleben«.

Klassische Muster melden sich zurück

In seinem Buch »Wenn Paare Eltern werden« stellt Hermann Bullinger fest, »daß die Umstellung auf das Leben zu dritt für diejenigen am gravierendsten ist, die sich in ihrer Zweierbeziehung und ihren Mann-Frau-Rollen am wenigsten an traditionellen Vorstellungen orientieren. Charakteristisch ist in diesem Fall, daß nicht nur die Lebensgewohnheiten der Frau, sondern auch die des Mannes vollkommen umgekrempelt werden. Oftmals fühlt sich vor allem die Frau, aber auch der Mann wieder in alte Rollen zurückgedrängt, die vorher schon überwunden schienen und denen man sich aus freien Stücken nie mehr unterwerfen wollte.«[48]

Wohl die wenigsten Paare können sich vor der Geburt ihres Kindes vorstellen, daß sie mit der Elternschaft vielleicht Rollen übernehmen, die sie zeitlebens abgelehnt haben. Doch je weniger sie darüber nachdenken, desto größer ist die Gefahr, sich komplett überfahren zu fühlen. Gerade Paare, für die es vor der Familiengründung sehr wichtig war, Arbeit und Verantwortung partnerschaftlich aufzuteilen, erleben den Einzug klassischer Rollenmuster in ihrem Leben als extrem bedrückend. Schon nach wenigen Wochen steht in mancher Beziehung das Trennende mehr im Vordergrund als das, was die Partner verbindet.

> Zu Hause war dann wirklich so eine Situation entstanden, daß Markus abends nach Hause kam und von seinen großen beruflichen Taten erzählte und ich, es war dann so sieben Uhr abends, immer nur dasaß und maximal berichten konnte, wie oft ich die Windeln gewechselt hatte. Also ich denke, da war mir meine Unzufriedenheit mit der Situation doch schon deutlich anzumerken. *(Martina, 38, Lektorin)*

Auch vor dem Verhältnis zum Kind macht der Einzug traditioneller Rollenmuster nicht halt, wenn die Frau längere Zeit zu Hause bleibt und der Mann weiterarbeitet. Viele Väter klagen schon kurz nach der Geburt, sie fühlten sich in der neuen Familienkonstellation als fünftes Rad am Wagen, weil die Partnerin sich nur noch mit dem Kind beschäftigt und aus dieser Beziehung alle Befriedigung zieht, die sie braucht. Manche Mütter fühlen sich von der Beziehung zu ihrem Kind tatsächlich so erfüllt, daß sie von ihrem Partner buchstäblich nichts mehr wissen wollen. Mit dem Stillen erfüllen sie nicht nur die körperlichen und seelischen Bedürfnisse des Kindes, sondern auch die eigenen. Eifersucht, Rivalität und Enttäuschung des Partners können die Folge sein.

Andererseits liegt es auf der Hand, daß eine Mutter, die ihr Kind stillt und hauptsächlich versorgt, leichter und schneller mit ihm zusammenwächst als ein berufstätiger Vater. Hier ist also auch der Partner gefordert, sich vehement in die Versorgung mit einzuschalten. Durchsetzungsfähigkeit ist bei Männern schließlich keine Seltenheit. Und wer sich im Berufsleben erfolgreich behaupten kann, wird es auch zu Hause schaffen, einen eigenen Zugang zum Kind zu finden – vorausgesetzt, er packt entsprechend mit an.

Dennoch sollte sich eine zukünftige Mutter darüber im klaren sein, daß sie Gefahr läuft, ihren Partner auszuschließen, wenn sie die Beziehung zum Kind zum Soloakt macht. In diesem Fall bleibt dem Mann etwas Wesentliches vorenthalten, was ihn eigentlich mit der Partnerin verbinden sollte: die Beziehung zum Kind. Die Frau macht innerhalb des Familiengefüges völlig andere Erfahrungen als er, was er dann als gegen sich gerichtet empfinden muß. Umgekehrt fehlt natürlich dem Kind der Vater, den es nur als Randfigur erlebt.

Doch es gibt noch einen weiteren, wichtigen Grund, warum Sie von Anfang an eine Dreierseilschaft gründen sollten. Wenn Sie über Monate hinaus die Exklusivrechte an Ihrem Kind wahrnehmen und seine Versorgung einschließlich aller dazugehörigen Tätigkeiten ausschließlich selbst betreiben, wird Ihr Partner den Rückzug antreten und Sie in Haushalts- und Kinderangelegenheiten nach Gusto walten lassen – aber das vielleicht länger, als Ihnen lieb ist. Die Gefahr ist groß, daß sich die häusliche Rollenverteilung so verfestigt, daß Hausarbeit und Kinderbetreuung dauerhaft an Ihnen hängenbleiben. Daß bei partnerschaftlich orientierten Paaren da irgendwann die Fetzen fliegen müssen, ist fast zwangsläufig. Kein Wunder, wenn viele berufsorientierte Frauen nach einigen Monaten des Hausfrauen- und Mutterdaseins das Gefühl haben, ihre Welt bestehe nur noch aus Windelnwechseln und Schnullersuchen, während ihr Partner vielleicht frustriert feststellt, daß er zwar zu Hause keinen Durchblick mehr hat, er dafür aber jetzt den Alleinversorger spielen darf, obwohl das in seinem Lebenskonzept nie vorgesehen war.

All das, was man früher als Paar so selbstverständlich miteinander geteilt und unternommen hat – von den Haushaltsarbeiten über das Geldverdienen bis zu den gemeinsamen Freizeitaktivitäten –, spielt sich ohne Bemühungen um Ausgleich schnell in grundverschiedenen Welten ab.

Schaffen Sie in Ihrer Partnerschaft also bewußt Raum und Zeit, damit Sie nicht nach kurzer Zeit das Gefühl haben, im Alltag zu ertrinken und völlig getrennte Leben zu führen. Ganz wichtig aber ist es, Mißstände zu erkennen, mit Ihrem Partner darüber zu sprechen und Dinge zu ändern, wenn Ihnen dies notwendig erscheint.

Die drei Phasen der Veränderung

Mit ein- bis anderthalb Jahren beginnt Ihr Sprößling die ersten Anzeichen von Selbständigkeit zu zeigen. Eigentlich sollten Sie nun aufatmen, aber merkwürdigerweise sind Sie und Ihr Partner in letzter Zeit häufig unzufrieden und mißmutig. Es kommt immer häufiger zu Streitereien, und irgendwie scheint sich bei Ihnen eine handfeste Beziehungskrise anzudeuten.

Wenn Ihnen dieser Verlauf bekannt vorkommen sollte, dann sind Sie in guter Gesellschaft. Viele Paare kennen diese Entwicklung von der Geburt des Kindes bis zur Krise, wobei sich die Veränderung ihrer Beziehung in drei Phasen vollzieht.

In den ersten Wochen nach der Geburt herrscht bei vielen Paaren eine Stimmung der *Euphorie*. Die frischgebackenen Eltern ziehen sich von der Außenwelt zurück, widmen sich dem Familienleben und empfinden ihre Beziehung als inniger denn je.

Doch die Belastungen des neuen Alltagslebens und die neuverteilten Rollen lassen dem Hochgefühl schon bald allgemeine *Ernüchterung* folgen, bei der das Trennende des Erlebens mehr und mehr in den Vordergrund und das, was die Partner verbindet, in den Hintergrund rückt. Allerdings haben die meisten Paare in dieser Phase weder Zeit noch Kraft für intensive Auseinandersetzungen. Es wird kaum gestritten, weil es zu mehr als gelegentlichen Reibereien und Wutausbrüchen nicht reicht. Die Konflikte köcheln fürs erste auf halber Flamme.

Zur großen *Krise* kommt es, sobald das Kind etwas selbständiger wird und nicht mehr die volle Aufmerksamkeit der Eltern benötigt, also etwa ein- bis anderthalb Jahre nach der Geburt.[49]

An diesem Punkt entscheiden viele Paare, ob sie die Familienphase ausdehnen oder ob sie sich wieder auf die Zweierbeziehung besinnen wollen. Nicht wenige zeugen in dieser Zeit ein zweites Kind, statt ihre Konflikte zu lösen, und schieben die Krise damit unbewußt hinaus. Dabei liegt es auf der Hand, daß die Probleme in den kommenden Jahren nicht kleiner werden. Oftmals kracht es dann richtig, wenn auch das zweite Kind »aus dem Gröbsten raus ist«.

Natürlich ist der eben beschriebene Weg in die Krise nach der Geburt eines Kindes nicht zwangsläufig. Aber er ist bei vielen Paaren zu beobachten. Letztlich hängt es immer von den jeweiligen Partnern selbst ab, welche Ansprüche sie an ihre Beziehung stellen und ob sie diese nach der Familiengründung auch umsetzen.

Partnerschaft ist eine Sache der Einstellung

Bewußt oder unbewußt trifft wohl jedes frischgebackene Elternpaar eine Entscheidung darüber, ob es sich nach der Geburt des Kindes hauptsächlich auf das Familienleben konzentrieren oder lieber nach einem ausgewogenen Verhältnis zwischen Familie und Partnerschaft suchen möchte.

Familienorientierte Paare

Paare, die sich mit Begeisterung ins Familienleben stürzen, um für die nächsten Jahre fast ausschließlich Eltern zu sein, vertreten häufig die Auffassung, ihre Partnerschaft sei im Moment nicht so wichtig, die Familie gehe vor. Sie glauben, sich auf dem Fundament ihrer Beziehung ausruhen und sich in der Zwischenzeit ganz der Familienphase widmen zu können. Später, wenn die Kinder größer sind, wollen sie sich wieder mehr um die Partnerschaft kümmern, daher ist sowohl ihr Interesse als auch ihr Engagement für die Beziehung geringer als das von partnerschaftsorientierten Paaren.

Familienorientierte Paare stufen das Bedürfnis nach Zweisamkeit als zweitrangig ein, oder sie entwickeln dazu eine eher pragmatisch-verdrängende Haltung: »Das ist jetzt einfach so, da müssen wir eben durch!«

> Irgendwann, wenn wir beide soweit sind, werden wir wohl auch mal eine Woche Urlaub allein machen wollen. Vielleicht wenn Felix ein bißchen älter ist und die Kinder bei meinen Eltern bleiben können. Aber bis jetzt war das noch nicht so das Bedürfnis. Es waren immer andere Sachen wichtiger. Ich denke, es spielt eine große Rolle, daß Alexander und ich schon fünfzehn Jahre zusammen sind. Wir haben schon viel zu zweit gehabt, wir hatten den größten Teil unserer Beziehung allein und haben in der Zeit viel gemacht und erlebt zusammen. Das ist ein ganz gutes Polster, wo wir beide denken können, die Zeiten kommen schon wieder. Anscheinend ist jetzt unsere Familienphase in der Beziehung angesagt. Wir genießen es einfach sehr, mit den Kindern zusammenzusein. Im Moment habe ich das Gefühl, es ist recht stimmig und okay für uns, wie es ist. Aber mehr familienbetont als paarbetont ist es sicherlich. *(Jutta, 36, Journalistin)*

Problematisch an einer überwiegend familienorientierten Einstellung ist das bestehende Ungleichgewicht zwischen Familie und Partnerschaft. Eine als schön erlebte Familienphase kann eine brachliegende Beziehung zwar vorübergehend verdecken, doch auch sie geht irgendwann zu Ende. Wer erst dann die Beziehung wieder reaktiviert, muß vielleicht feststellen, daß es dort kaum noch etwas zu aktivieren gibt. Schließlich sind Beziehungen keine edlen Weine, die jahrelang im Keller verstauben können und dabei immer besser werden. Sie verhalten sich eher wie Tischweine, die durch Herumliegen zu Essig werden und irgendwann ungenießbar sind.

Wer seine Partnerschaft über längere Zeit vernachlässigt, riskiert sich zu entfremden, weil die Gemeinsamkeiten sich auf die Kinder und den Alltag beschränkten. Die Beziehung kann einschlafen, und es gibt – losgelöst von den Kindern – vielleicht keine Anknüpfungspunkte mehr, wenn ihr eines Tages wieder mehr Aufmerksamkeit geschenkt wird.

Diese Erfahrung machte auch Sabine, deren Beziehung nach acht Jahren in die Brüche ging.

> Ich denke, wir waren ziemlich viel Eltern und nur noch ein bißchen Paar. Daß es ab und zu Momente gab, wo wir uns sehr nahe waren, war sehr, sehr selten. Sehr viel dieser Partnerschaft war durch den Alltag belastet, durch Organisation, und es gab wenig wirklich intime Stunden zusammen.
> Wobei wir uns als Eltern gut gefühlt haben. Ich denke, wir waren schon glücklich im Zusammensein mit dem Kind, aber ich sage das ganz klar, der intensive Austausch mit jemandem hat mir gefehlt.
> Ich denke natürlich, wenn man acht Jahre zusammen ist, dann ist eine Beziehung vielleicht nicht mehr so intensiv, wie in den ersten zwei, drei Jahren. Man kennt sich mehr, und ich denke manchmal, daß man sich vielleicht zu sicher ist in der Partnerschaft. Man merkt, es läuft irgendwie, und bemüht sich nicht mehr so darum. Man läßt ... diese positiven Seiten der Partnerschaft in den Hintergrund geraten ... das hat unserer Partnerschaft nicht gutgetan. Wir hätten mehr Freiräume, Vergnügen und Spaß gebraucht. Es war immer sehr viel Verantwortung und Streß da, wenig Lockeres. *(Sabine, 35, Krankenschwester)*

Ein zweiter Problempunkt einer familienorientierten Einstellung ist, daß die Ausgestaltung der Familienphase bestimmte Voraussetzungen benötigt, damit wirklich alle von ihr profitieren können. Grundbedingung ist, daß Mann und Frau sich die Familienarbeit angemessen aufteilen, damit jeder eine eigenständige Beziehung zum Kind aufbauen kann. Dies gelingt in der Realität nur selten. Meist besteht eine intensivere Beziehung zwischen Mutter und Kind, während der Vater mehr nach außen orientiert ist. Da sich die Beziehung familienorientierter Paare jedoch ausschließlich über die Beziehung der Eltern zum Kind definiert, kann daraus leicht eine Konkurrenzsituation entstehen, die das Dreiecksverhältnis zum Kippen bringt.

Eine weitere Gefahr besteht darin, daß in Beziehungen, in denen das Liebesverhältnis unwichtig geworden ist, die Elternschaft zum Selbstzweck werden kann. Die Kinder müssen dann die Bedürfnisse der Erwachsenen befriedigen, weil diese keine von der

Familie unabhängige Beziehung mehr haben. Dadurch geraten Kinder in die Rolle eines Ersatzpartners, dem vieles zugestanden wird, was wir uns von einem erwachsenen Partner nie gefallen lassen würden. Zwangsläufig sinkt bei diesen Eltern die Einsicht, daß sie auch im Familienleben zugunsten der Partnerschaft Abstriche machen müssen.[50]

Bei genauem Hinsehen lassen sich vier Paarkonstellationen erkennen, die häufiger als andere dazu neigen, sich einseitig auf die Elternschaft zu konzentrieren.

- *Partnerschaften, die erst seit kurzer Zeit bestehen und noch wenig gefestigt sind:*
  Viele Paare, die vor der Familiengründung keine längere Phase einer innigen, konflikterprobten Partnerschaft erlebt haben, neigen dazu, nach der Geburt ihres Kindes die Familienphase auszurufen und die Zweierbeziehung hintanzustellen. Doch das Leben zu dritt entpuppt sich mitunter als Belastungsprobe, bei der sich dann herausstellt, daß die Beziehung noch kein tragfähiges Fundament besitzt.
- *Partnerschaften, die immer wieder von ernsten Krisen belastet werden:*
  In krisengeschüttelten Beziehungen ist ein Kind mitunter eine willkommene Ablenkung und bietet seinen Eltern mehr als genug Gründe, sich für einige Zeit nicht um die Partnerschaft kümmern zu müssen.
- *Partnerschaften, die vor der Geburt des Kindes sehr locker und unverbindlich geführt wurden:*
  Beziehungen, in denen die Partner vor der Familiengründung getrennt beziehungsweise an verschiedenen Wohnorten gelebt haben, boten meist wenig Zeit für Intimität, Zweisamkeit und die Formulierung partnerschaftlicher Vorstellungen. Nach der Geburt von Kindern können solche Beziehungen der Übermacht des Familienalltags oft kaum etwas entgegensetzen, die Partner haben wenig, woraus sie schöpfen können, und es fällt ihnen meist schwer, Ansprüche zu entwickeln und zu formulieren.
- *Partnerschaften, in denen das Paar schon sehr lange zusammen ist und der Wunsch nach akuten Veränderungen besteht (Langeweile!):*

Paare, deren Beziehung schon lange vor dem Kind bestand, hegen häufig die Hoffnung, das Kind werde in ihrem Leben eine positive Veränderung bewirken und die Partnerschaft neu beleben.

Wenn Sie sich in einer dieser Paarkonstellationen wiedererkennen, dann kümmern Sie sich um Ihre Beziehung, und zwar gleich! (Anregungen dazu finden Sie im nächsten Kapitel.) Hoffen Sie nicht darauf, daß ein Kind positiv auf Ihre Partnerschaft einwirkt – das kann und soll es nicht. Es ist eine Tatsache, daß Kinder die Paarbeziehung ihrer Eltern weder aufpeppen noch verbessern. Im Gegenteil! Kinder strapazieren die Partnerschaft, weil sie zu ihr in Kokurrenz treten und eine eigene Dimension schaffen. Außerdem sind Kinder keine Beziehungspartner und sollten auch nicht dazu gemacht werden. Gerade deshalb ist es wichtig, daß Eltern ihren eigenen Bereich – die Partnerschaft – bewahren. Dadurch erreichen sie eine notwendige Abgrenzung zum Kind, die es allen ermöglicht, sich als das zu sehen, was sie sind: Erwachsene auf der einen Seite, Kinder auf der anderen.

Vergessen Sie nicht: *In Beziehungen, in denen es bereits vor der Geburt eines Kindes (noch) nicht zum besten steht, wird es auch hinterher nicht besser. Also Vorsicht! Gehen Sie das Projekt »Kind« erst an, wenn Sie das Gefühl haben, eine gute Partnerschaft zu haben, die es wert ist, gepflegt zu werden, und die es Ihnen nicht zu schwer macht, sie weiterzuführen.*

Partnerschaftsorientierte Paare

Die zweite Gruppe von Eltern besteht keineswegs aus Paaren, die allesamt unfreiwillig Kinder bekamen. Die Freude am Kind ist in dieser Gruppe ebenso hoch wie bei familienorientierten Paaren. Allerdings wird die Elternschaft in dieser Gruppe eher als Teil eines Ganzen angesehen und nicht als Hauptrolle. Partnerschaftsorientierte Paare zeigen ein gutes Gespür dafür, an welchem Kuchenstück am meisten gespart wird, und obwohl ihnen klar ist, daß irgendwo gespart werden muß, soll bei ihnen nicht ausschließlich die Zweierbeziehung dafür herhalten.

Die Beziehung hat für diese Paare einen höheren Stellenwert als für familienorientierte; sie streben danach, Familie und Beziehung in ein Gleichgewicht zu bringen. Partnerschaftsorientierte Paare glauben nicht, man könne eine Zweierbeziehung jahrelang in den Schrank stecken und sie irgendwann wieder herausholen, abstauben und weitermachen. Und doch – so überraschend es klingen mag – fällt es auch diesen Paaren nicht leichter als anderen Eltern, ihre Beziehung zu pflegen. Die Erklärung ist relativ einfach: Alle Paare mit Kindern stehen, unabhängig von ihrer Einstellung zur Gewichtung von Familie und Beziehung, vor den gleichen Problemen.

Nur gute Partner sind gute Eltern

Sie sehen also, wie schwierig es ist, nach der Geburt von Kindern die Zweierbeziehung nicht zu vernachlässigen, selbst wenn das Bewußtsein für die Notwendigkeit und der Wille dazu vorhanden sind. Fangen Sie daher mit der bewußten Pflege Ihrer Beziehung so früh wie möglich an – am besten lange vor der Schwangerschaft –, indem Sie sich klarmachen, wie wichtig es ist, Ihre Partnerschaft nie aus den Augen zu verlieren. Der Wunsch nach Kindern sollte dieses Anliegen noch verstärken, denn nur gute Beziehungspartner sind auch gute Eltern.

Nur wenn die Liebesbeziehung der Eltern funktioniert, sind diese in der Lage, auftretende Probleme innerhalb der Beziehung auszutragen und nicht über das Kind. Wenn sie eine vom Kind unabhängige Beziehung besitzen, müssen sie sich nicht permanent auf das Kind konzentrieren und können ihm Raum lassen, sich zu einem eigenständigen Menschen zu entwickeln. Das Kind wird weder zum Ersatzbeziehungspartner gemacht, noch steht es ewig im Mittelpunkt des Beziehungsdreiecks Vater-Mutter-Kind und damit im Dienst der elterlichen Beziehung.[51] Außerdem fühlen sich Eltern, die mit ihrer Beziehung zufrieden sind, auch in ihrem übrigen Leben zufrieden und ausgeglichen. Konkrete Anregungen für die Pflege Ihrer Partnerschaft finden Sie im nächsten Kapitel.

Vergessen Sie nicht, zur guten Elternschaft gehört immer auch die Fähigkeit, für sich selbst zu sorgen. Nur wenn Sie als ganzer Mensch zufrieden sind, als Einzelwesen und als Mutter oder Vater, können Sie diese Zufriedenheit dauerhaft an Ihr Kind weitergeben.

Tips & Tops für die Beziehungskiste

- Nur gute Partner sind gute Eltern!
- Rechnen Sie damit, daß Ihre Partnerschaft nach der Geburt Ihres Kindes zu einer »bedrohten Art« wird, und erklären Sie sie rechtzeitig zum Schutzgebiet.
- Achten Sie bei der Umverteilung Ihrer Kapazitäten (Beruf, Alltag, Eigenleben, Partnerschaft) darauf, daß die Partnerschaft nicht zu kurz kommt.
- Rechnen Sie damit, daß die Geburt Ihres Kindes traditionelle Rollenmuster verstärken kann, und seien Sie wachsam.
- Behalten Sie als frischgebackene Mutter nicht nur Ihr Baby, sondern auch Ihre Beziehung im Blick. Eine zu enge Mutter-Kind-Beziehung schließt den Partner aus und schadet der Zweierbeziehung.
- Stellen Sie sich als frischgebackener Vater darauf ein, sich vehement in die Kinderversorgung einzuklinken, um die Veränderung von der Zweierbeziehung zur Familie aktiv mitzugestalten. Dies gilt besonders für Vollzeit berufstätige Väter.
- Ändern Sie getroffene Regelungen, wenn diese zur Belastung werden. Sie auszuhalten bedeutet eine unzumutbare Belastung für Ihr Seelenleben, die Partnerschaft und das Wohlbefinden Ihres Kindes. Wenn Sie nach acht Wochen Babybetreuung das Gefühl haben, in Ihrer Wohnung zwischen Windeln und Putzlumpen zu ersticken, dann reden Sie mit Ihrem Partner und rufen Sie anschließend Ihren Chef an.
- Achtung! Die Gefahr, die Partnerschaft zugunsten des Familienlebens zu vernachlässigen, ist in den ersten ein- bis eineinhalb Jahren nach der Geburt des Kindes am größten. Stellen Sie sich aber darauf ein, daß es anstrengender ist, dies zu verhindern, als es geschehen zu lassen.
- Setzen Sie alles daran, Ihr Familienleben und Ihre Partnerschaft im Lot zu halten und keinen Bereich dem anderen unterzuordnen.

- Wenn Ihre Partnerschaft noch nicht sehr lange besteht oder immer wieder von Krisen erschüttert wird, kümmern Sie sich darum – und warten Sie noch eine Weile mit dem Kinderkriegen. Ihr Kind wird es Ihnen danken.
- Wenn Sie – mit Kind – in einer problematischen Partnerschaft leben, verschieben Sie die Beziehungsarbeit nicht auf später. Es wird nur schlimmer werden, und Ihr Kind bekommt die Probleme ohnehin mit.
- Sie und Ihr Partner sind keine Rabeneltern, wenn Sie hin und wieder im Familienleben Abstriche machen, um Ihre Partnerschaft zu pflegen. Davon profitiert auch Ihr Kind.

8. Kapitel Das kleine Einmaleins der Beziehungspflege

Auch wenn sich fast alle Paare mit kleinen Kindern mehr Zeit für Zweisamkeit und Intimität wünschen, haben nur wenige eine Vorstellung davon, wie sie das erreichen können. Patentrezepte gibt es natürlich nicht, und auch mit guten Vorsätzen ist es nicht getan. Sie müssen Ihr Leben schon genau unter die Lupe nehmen und bereit sein, es an verschiedenen Stellen konsequent zu ändern.

Fangen Sie am besten bei Ihrer Einstellung an: Sie wissen jetzt, daß Ihre Partnerschaft nach der Geburt des Kindes nicht unwichtiger werden darf als vorher. Dazu müssen Sie Ihre Beziehung jedoch regelmäßiger und organisierter pflegen als früher – und damit gleich nach der Geburt beginnen.

Zeit für die Partnerschaft gewinnen

Holen wir noch einmal die Lebenstorte hervor und besehen wir uns das Häppchen, das für die Zweierbeziehung übriggeblieben ist. So geht es also nicht. Sie sollten alles daransetzen, damit das Kuchenstück *Partnerschaft* seine alte Größe behält oder dieser zumindest einigermaßen entspricht. Gewinnen Sie Zeit für Ihre Beziehung, indem Sie in anderen Bereichen sinnvoll einsparen.

Beruf

Hier schneiden viele Frauen nach der Geburt des ersten Kindes sowieso ein Stück ab, denn auch berufsorientierte Frauen mit Kindern arbeiten überwiegend Teilzeit. Und mehr sollten Frauen am Beruf keinesfalls sparen.

Hier ist Ihre Chance! In diesem Bereich können Sie auf jeden Fall das Messer ansetzen und einen dicken Schnitt machen, weil dieses Tortenstück nach der Geburt Ihres Kindes garantiert überdimensional anwächst oder bereits angewachsen ist. Viele Frauen stellen fest, daß sie nach der Familiengründung im Haushalt gut und gern doppelt soviel zu tun haben wie früher. Das muß nicht sein.

Wenn Sie und Ihr Partner beide in anspruchsvollen Berufen arbeiten, sollten Sie sich für die Erledigung der Haushaltsarbeiten unbedingt Hilfe ins Haus holen. Ob es »nur« für eine Putzfrau reicht oder für jemanden, der zusätzlich auch bei der Wäsche, dem Einkauf und sonstigem Hand anlegt, hängt natürlich von Ihrem Geldbeutel ab. Aber diese Entlastung ist sicherlich mehr wert als jedes teure Auto. Und dafür reicht es bei den meisten schließlich auch.

Eine zweite Möglichkeit, im Alltag Zeit und Arbeit zu sparen, liegt darin, Ihre Ansprüche herunterzuschrauben. Verabschieden Sie sich von der Superfrau! Ihre Wohnung / Ihr Haus muß nicht jederzeit spiegelblank geputzt und tadellos aufgeräumt sein. Sie müssen auch nicht jeden Tag fulminante Familienmenüs kochen oder täglich frisches Gemüse ranschaffen. Reduzieren Sie Ihren Zeitaufwand, indem Sie oder Ihr Partner vorkochen und auf Vorrat einkaufen. Und Ihr Rasen ist sicher auch ohne englischen Kurzhaarschnitt sehr schön, soll er ruhig ein wenig verwildern.

Lassen Sie im Haushalt locker, und gewinnen Sie Zeit für Ihre Partnerschaft. Das Ergebnis ist hundertmal lohnenswerter als ein glänzender Parkettboden oder ein blühendes Rosenbeet.

Ganz wichtig ist, daß Sie bei der Reduzierung Ihres Alltagsbudgets Ihren Partner nicht vergessen! Wie sieht der Zuschnitt seiner Lebenstorte aus? Oftmals weist gerade der Bereich *Alltag* bei Männern ein deutlich bescheideneres Format auf als das ihrer Partnerin. Wenn dies auch auf Sie zutrifft, ist es Zeit für klärende Gespräche und einige Umverteilungen. Überprüfen Sie gemeinsam, wie die Verteilung von Arbeit und Freizeit in Ihrer Familie geregelt ist. Und vergessen Sie nicht, daß Sie ein gemeinsames Ziel haben. Sie wollen mehr Zeit und Aufmerksamkeit in Ihre Partnerschaft investieren. Dazu ist es unbedingt erforderlich, daß Sie Ihre übrigen Lebensbereiche abstimmen und angleichen.

Familie

Als nächstes ist das Kuchenstück *Familie* an der Reihe. Wenn es Ihnen wirklich darum geht, Ihre Partnerschaft zu verbessern, sollten Sie auch bereit sein, in der Beziehung zum Kind zugunsten Ihrer Zweierbeziehung Kompromisse zu machen. Manche Eltern haben regelrecht Angst davor, mehr Zeit für sich in Anspruch zu nehmen, weil sie befürchten, ihrem Kind damit zu schaden, oder weil sie selbst mit der Trennung nicht umgehen können.

Als mein Mann und ich nach der Geburt unserer Tochter zum ersten Mal einen kurzen Paarurlaub antreten wollten und unsere elf Monate alte Kleine bei der Großmutter ließen, kommentierte einer unserer Freunde: »Ja, wenn ihr damit leben könnt, daß das Kind euch weniger lieb hat ...« Ehrlich gesagt, auf den Gedanken, daß ein Kind seine Eltern weniger liebt, wenn es hin und wieder ein paar Tage bei der Oma verbringt, wäre ich von allein nie gekommen. Aber dieser Satz zeigt, wie schwer es manchen Menschen fällt, einen eigenen Glücksanspruch zu formulieren, unabhängig von ihren Kindern. Um keine Trennung in Kauf nehmen zu müssen, wird die permanente Elternpräsenz zum Idealfall erklärt und auf persönliche Freiräume verzichtet.

Das muß nicht sein! Sich ab und zu etwas Zeit ohne Kinder zu gönnen ist weder ein Zeichen mangelnder Elternliebe, noch riskieren Sie, bei Ihrem Nachwuchs Sympathiepunkte zu verlieren. Kinder haben in ihrem Herzen allemal Platz für Mama, Papa, Oma, Opa, Geschwister, Freunde und einige andere mehr. Wir sollten lernen zu teilen. Unsere Kinder haben uns deshalb nicht weniger lieb, sie haben lediglich die Chance, auch zu anderen Menschen gute Beziehungen aufzubauen.

Eines ist sicher: Die Pflege Ihrer Beziehung kommt nicht nur Ihnen, sondern auch Ihrem Kind zugute. Deshalb können Sie es ruhigen Gewissens hin und wieder in andere Hände geben und sich um Ihre Beziehung kümmern. Vorausgesetzt natürlich, Sie sorgen für eine gute Betreuung.

Achten Sie bei der Betrachtung Ihrer Prioritätenliste aber darauf, Familienzeit nicht mit Paarzeit zu verwechseln. Im Beisein Ihrer Kinder sind Sie Eltern und nicht Paar, unabhängig davon, wie sehr Sie diese Zeit genießen.

Wenn wir zusammen sind und Gabriel wach ist, sind wir eigentlich Eltern. Wir gehen zusammen mit ihm spazieren, Enten füttern … Und wenn er im Bett ist, sind wir mehr Paar. Aber das ist wirklich nur abends. *(Stefanie, 22, Auszubildende)*

Eigenleben

Als letztes sollten Sie und Ihr Partner überprüfen, ob sich nicht auch Ihr Eigenleben, also die Zeit, die Sie nur für sich und Ihre eigenen Interessen zur Verfügung haben, entrümpeln läßt. Auch dadurch können Sie weitere Zeit für die Partnerschaft gewinnen.

Jeder Mensch braucht ein Eigenleben. Nur wer genügend Zeit für sich und seine Bedürfnisse hat, ist auch in der Lage, eine gute Beziehung zu führen. Aber gerade deshalb sollten wir dann und wann überprüfen, ob wir diese Zeit auch wirklich sinnvoll nutzen. Mitunter schleppen wir alten Ballast mit uns herum, der uns mehr behindert als nützt. Unter altem Ballast verstehe ich all jene Dinge, die in Ihrem Kopf unter »Eigentlich müßte ich schon längst mal wieder …« abgespeichert sind. Da ist zum Beispiel das alte Rennrad, das Sie seit ewigen Zeiten reparieren wollen und das nun schon seit zwei Jahren im Keller herumsteht. Wenn Sie weder Zeit noch Lust haben, sich wirklich damit zu beschäftigen, schmeißen Sie das Ding auf den Müll, kaufen Sie sich ein funktionierendes Rad und fahren Sie wieder Fahrrad.

Es mag hart klingen, aber auch ehrenamtliche Tätigkeiten

oder alte, fremd gewordene Freunde können solche »Zeitfresser« sein. Seien Sie ehrlich zu sich selbst und gestehen Sie sich offen ein, wenn Sie auf bestimmte Aktivitäten (die Kassenführung beim Sportverein, das vierteljährliche Treffen mit den ehemaligen ArbeitskollegInnen ...) keine Lust mehr haben oder wenn Sie manche Leute nur noch treffen, weil Sie sich dazu verpflichtet fühlen. Reduzieren Sie Ihre Verpflichtungen. Es ist *Ihre* Freizeit, und die ist viel zu kostbar für halbherzige Unternehmungen. Das gleiche gilt natürlich immer auch für Ihren Partner.

Zu guter Letzt sollten Sie das Größenverhältnis zwischen *Eigenleben* und *Partnerschaft* überprüfen. Ein deutlicher Größenunterschied zugunsten des Eigenlebens ist ein Fall für das Kuchenmesser. Es kann nicht sein, daß es bei Ihnen und/oder Ihrem Partner regelmäßig für die Freunde, den Sport und die Doppelkopfabende reicht, nicht aber für die Stunden zu zweit. Gleichen Sie die beiden Bereiche an.

Wenn Sie auch nur einige dieser Vorschläge in die Tat umsetzen, sehen Ihre beiden Lebenstorten bald ein wenig anders aus. Und ich hoffe, daß sich das am deutlichsten am Zeitbudget Ihrer Partnerschaft bemerkbar machen wird. Ich möchte Ihnen deshalb nun einige Ideen vorstellen, wie Sie die hinzugewonnene Zeit für Ihre Beziehung lustvoll ausfüllen können.

Die Partnerschaft gestalten

Selbst wer es vor der Geburt seines Kindes noch nicht wußte, merkt hinterher ganz schnell, daß die Elternschaft klare Absprachen verlangt. Schon in den ersten Schreinächten und wenig später, wenn es darum geht, beim Füttern und Einschlafen erste Regeln einzuführen, wird klar, daß Sie sich über Ihre Erziehungsvorstellungen austauschen und abstimmen müssen – weil es andernfalls schnell kracht! Außerdem haben die meisten beruflich engagierten Eltern genaue Vorstellungen davon, wie sie die mit den Kindern verbrachte Zeit gestalten wollen. Viele berichten, daß sie, wenn sie von der Arbeit nach Hause kommen, sich täglich eine gewisse Zeit intensiv nur mit ihren Kindern beschäftigen.

> Ich verbringe z. B. relativ wenig Zeit mit meiner Tochter, gemessen an Vollzeitmüttern. Aber die Zeit, die ich mit ihr verbringe, ist halt ganz ihr gewidmet und sehr intensiv. Da mache ich keine Hausarbeit, da mache ich gar nichts, da bin ich wirklich nur für sie da. Und das finde ich auch eine wichtige Voraussetzung, da bin ich wirklich mit Leib und Seele bei ihr. *(Johanna, 38, Grafikerin)*

Eigentlich sollte für die Partnerschaft genau das gleiche gelten. Genauso wie Sie sich immer wieder über Ihre Vorstellungen von der Kindererziehung unterhalten und abstimmen müssen, sollten Sie auch darüber sprechen, wie Sie sich die Ausgestaltung Ihrer Beziehung vorstellen, wie zufrieden Sie damit sind und was Ihnen fehlt oder mißfällt. Doch das ist häufig nicht der Fall. Natürlich geht auch hier, wie in allen anderen Lebensbereichen, nichts von allein! Ohne Absprachen können Sie weder problemlos Kinder erziehen, noch eine befriedigende Beziehung führen. Sie müssen also miteinander reden!

Zueinanderfinden

Nach einem hektischen Arbeitstag ist es für viele Paare häufig schwer genug, überhaupt Kontakt aufzunehmen und sich als Paar wahrzunehmen. Sie kommen nach Hause, mit den Gedanken noch halb im Büro, und müssen sich ad hoc auf das abendliche Familienszenario einstellen, das da heißt: sich um das Kind kümmern, Abendessen vorbereiten, essen und das Kind ins Bett bringen. Meist knurrt Ihnen bereits der Magen, und Sie sind schon jetzt reif für die Couch. Trotzdem gibt es ein einfaches, wirkungsvolles Ritual, mit dem Sie es schaffen können, sich einerseits ein wenig »herunterzufahren« und andererseits Ihren Partner wahrzunehmen. Steve Biddulph hat es in seinem Buch: »Das Geheimnis glücklicher Kinder«[52] vorgestellt.

Er empfiehlt, sich nach dem Nachhausekommen einige Minuten Zeit füreinander zu nehmen und sich gemeinsam hinzusetzen. Dabei sollten Sie:

- etwas essen! Ein paar Nüsse knabbern oder etwas Käse, Wurst oder Obst zu sich nehmen, um den knurrenden Magen zu beruhigen und nicht insgeheim auf das Abendessen zu schielen. Bei vielen Menschen sorgt dies außerdem für eine wesentlich bessere Laune;
- etwas trinken! Was immer Ihnen guttut, ist erlaubt. Ob Tee oder Kaffee, ein Glas Wein oder Bier soll Ihnen helfen, sich zu entspannen;
- die Kinder beiseite lassen! Entweder Ihre Sprößlinge können sich ruhig im gleichen Zimmer aufhalten (bei ganz kleinen Kindern), oder sie spielen für einige Minuten in ihrem Zimmer, bevor sie an der Reihe sind (Das müssen Sie natürlich einüben. Aber es ist machbar!);
- sich unterhalten! Wälzen Sie jedoch keine Probleme, sondern sprechen Sie über angenehme Dinge. Schließlich sollen Sie diese wenigen Minuten genießen und nicht darum wetteifern, wer von Ihnen den schlimmeren Tag hatte.

Nach diesen »Paar-Minuten« werden Sie sich deutlich entspannter fühlen, und Sie werden merken, »daß alles viel leichter von der Hand geht, weil sich Ihr ganzer Rhythmus – einschließlich der Pulsfrequenz – auf den Rhythmus Ihres Partners eingestellt hat«.[53]

Versuchen Sie es einmal!

Der freie Abend

Ganz wichtig für Ihre Partnerschaft ist, daß Sie regelmäßig Dinge unternehmen, die nichts mit der Elternschaft zu tun haben. Tun Sie etwas für sich als Erwachsene und als Paar – *ohne Kinder!* Und gehen Sie dafür aus dem Haus. Nur so ist gewährleistet, daß Sie sich wirklich aufeinander konzentrieren. Wenn Ihr Baby ganz klein ist und noch gestillt wird, haben Sie meist nicht mehr als zwei bis drei Stunden zur Verfügung. Das genügt für den Anfang! Bitten Sie die Großeltern zum Babysitten, oder geben Sie das Kind bei einem guten Freund ab und gehen Sie gemeinsam Kaffeetrinken oder eine Kleinigkeit essen. Und wenn das nicht geht, reicht es sicher für einen Spaziergang zu zweit. Natürlich könnten Sie dabei problemlos den Kinderwagen vor sich herschieben, aber dann wären Sie wieder überwiegend Eltern und nicht Paar. Sie sprechen über andere Dinge, und Sie fühlen sich auch anders.

Sobald Ihr Kind auch von anderen Menschen versorgt werden kann, sollten Sie für sich und Ihren Partner regelmäßig einen freien Abend einrichten. Fragen Sie Verwandte oder Freunde, ob diese babysitten können, oder leisten Sie sich einen bezahlten Babysitter. Vielleicht können Sie das Geld an anderer Stelle wieder einsparen. Sie müssen ja nicht jedesmal schick und teuer ausgehen. Wichtig ist, daß Sie als Paar etwas unternehmen und sich durch diesen festen Abend gegenseitig zeigen, wie wichtig Ihnen die Partnerschaft ist.

Urlaub ohne Kind

Beziehungspflege par excellence erlaubt Ihnen ein Urlaub ohne Kind, unabhängig davon, ob Sie dafür ein Wochenende oder vierzehn Tage zur Verfügung haben. Selbst wenn Ihre Eltern / Schwiegereltern fünfhundert Kilometer entfernt wohnen, ist dies im Gegenteil sogar eine gute Möglichkeit, Enkel und Großeltern zusammenzubringen. Sofern keine ernsthaften Probleme dagegensprechen, ist es ratsam, die Kontaktaufnahme so früh wie möglich zu fördern. Großeltern und Kinder werden es Ihnen danken. Aber rechnen Sie nicht damit, daß der erste Versuch für Sie oder Ihren Sprößling leichter wird, wenn Sie einige Jahre warten. Trennen will gelernt sein – egal, wie alt Ihr Kind ist.

Wenn der erste Paarurlaub ansteht, können Sie beispielsweise zehn Tage Urlaub nehmen und mit Ihrem Kind übers Wochenende zu den Großeltern fahren. Überlassen Sie Ihren Sprößling in dieser Zeit weitestgehend Oma und Opa, und verabschieden Sie sich nach zwei Tagen in den Urlaub. Vermutlich wird Ihnen die Trennung schwerer fallen als Ihrem Kind. Aber wenn Sie ein gutes Verhältnis zu Ihren Eltern / Schwiegereltern haben, sollten Sie darauf vertrauen, daß diesen am Wohlergehen Ihres kleinen Lieblings ebenso gelegen ist wie Ihnen selbst.

Urlaub mit dem Babysitter

Eine Art Mischform, die es Ihnen erlaubt, sich auch mit einem sehr kleinen Kind einen Paarurlaub zu gönnen, sind Urlaube mit einem oder mehreren Babysittern im Reisegepäck. Das kann eine bereitwillige Freundin sein oder – was am häufigsten vorkommt – Oma, Opa oder beide.

Sofern Sie sich einen Urlaub mit Ihren Eltern / Schwiegereltern vorstellen können, haben Sie viel Gestaltungsspielraum. Sie können am Urlaubsort in getrennten Hotels wohnen und das Kind den Großeltern überlassen, um es nur gelegentlich zu besuchen. Oder Sie mieten nebeneinanderliegende Apartments und haben so einen engeren Kontakt. Nicht empfehlenswert ist der Bezug einer gemeinsamen Ferienwohnung. Die Gefahr, daß die Zweisamkeit zu kurz kommt, ist hier zu groß.

Wie immer Sie es anpacken – wichtig ist, daß dabei möglichst viel Zeit für Sie beide allein herauskommt.

Sex

»Allzuoft beginnt die sexuelle Trägheit gleich nach der Geburt. Meist entwickeln Frauen während dieser ersten Zeit der Überaufopferung eine ernsthafte sexuelle Amnesie. Es scheint, als wüßten sie plötzlich nicht mehr, wofür Sexualität eigentlich gut sein soll, wie schön sie sein kann, warum sie Spaß macht und wann sich Gelegenheiten dazu bieten. Die meisten Frauenärzte raten Frauen, mit dem ersten Geschlechtsverkehr nach einer Geburt etwa sechs Wochen zu warten, doch das scheint mir eher ein Witz zu sein. Ich erinnere mich, daß ich nach der Geburt meiner Tochter dachte: ›Hat er wirklich sechs Wochen gesagt? Ich dachte eher, er meint sechs Jahre!‹«, schreibt Carin Rubenstein in ihrem Buch »Wenn Mütter zu sehr lieben«.[54] Es scheint, als habe es der Papst zumindest bei Paaren mit kleinen Kindern geschafft: die Sexualität wird mehr oder weniger vorübergehend auf den Zweck der Fortpflanzung beschränkt. Ansonsten herrscht Funkstille. Fast könnte man es glauben, wäre da nicht das Bedauern der Betroffenen:

> Ich fände es toll, ein bißchen verwöhnt zu werden. Daß mal jemand wieder meinen Körper und meine Seele streichelt und daß man nicht sagen muß, das machen wir nachher, wenn das Kind schläft, und dann ist es wieder vergessen und vorbei. *(Sylvia, 45, Lehrerin)*

Viele Paare sind so in ihren Alltag eingespannt, daß sie nur im Bett Gelegenheit haben, sich Zuwendung und Zärtlichkeit zu schenken. Doch selbst dafür fühlen sie sich oft zu müde. Das mag für eine gewisse Zeit vertretbar sein. Das Dumme ist nur, daß diese Umstände sich von nun an nicht mehr wesentlich ändern werden. Die Tage, an denen Eltern mit kleinen Kindern nicht todmüde ins Bett und vor dem »ersten Hahnenschrei« wieder herausfallen, sind nun einmal selten. Sie stehen also vor der Alternative, Ihr Liebesleben zu vergessen oder es trotz Müdigkeit und mangelnder Gelegenheit neu anzugehen.

Der Rausch kommt nicht zurück!

Die Optimisten unter uns glauben, sie müßten nur lange genug warten – bis sich die Dinge genügend eingespielt haben beispielsweise oder die Kinder alt genug sind (drei, sieben oder 17 Jahre alt?) –, dann würde sich die alte Leidenschaft von selbst wieder einstellen. Das ist ein Irrtum! Wenn die erste Leidenschaft einer jungen Liebe erst einmal verflogen ist, liegt es allein bei den Partnern, die Spannung und Erotik in ihrer Beziehung aufrechtzuerhalten. Das gilt für Paare mit Kindern genauso wie für kinderlose Paare. Nicht umsonst ziehen es manche Menschen vor, von einer Beziehung zur nächsten zu pilgern, sobald die Anfangseuphorie verflogen ist und der Kick nicht mehr automatisch kommt.

Bei der Sexualität wie bei vielen anderen Dingen gilt: Der Appetit kommt beim Essen! Wer auf Kerzenlicht und Romantik, Schummerstimmung und stundenlanges Vorspiel wartet, wartet in Wirklichkeit auf etwas, das vorbei ist: das Leben vor den Kindern. »Die sexuelle Wirklichkeit einer Mutter ist, daß sie vorher, jetzt und in Zukunft müde sein wird. Der Rücken schmerzt, und auf dem Boden steht jede Menge nasse Wäsche. Auf dem Laken befindet sich ein riesiger Fleck, vielleicht sogar Erbrochenes. Es stimmt, nichts davon ist sexy; und nichts davon würden wir in einem Erotikfilm zu sehen bekommen. Trotzdem ist es keine Entschuldigung für ein brachliegendes Liebesleben. Tun Sie es trotzdem und tun Sie es jetzt. Paare sollten nie darauf warten, bis sie in Stimmung sind, denn von allein wird sie niemals kommen.«[55]

Werden Sie aktiv. Schreiben Sie sich Liebesbriefe, machen Sie sich erotische Geschenke oder mieten Sie sich ab und zu in einem Hotel ein, um dort eine heiße Nacht zu verbringen. Machen Sie es sich so schön wie möglich. Das fängt damit an, daß Sie sich für die Liebe Zeit nehmen müssen. Warten Sie also nicht, bis Sie auch den letzten Spielfilm gesehen haben, ehe Sie ins Bett gehen, sondern verziehen Sie sich frühzeitig ins Schlafzimmer. Und wenn die Stimmung nicht da ist, dann helfen Sie nach. Mit Videos, Spielen, Fotos, Cremes, Leder, Lack oder Latex … Erlaubt ist, was gefällt – und was Sie beide (!) in Stimmung bringt.

Wußten Sie, daß Sex Ihre Partnerschaft verbessern kann? Es ist so. Regelmäßiger Sex trägt nämlich dazu bei, daß Paare sich besser verstehen. *»Mehr Sex bedeutet eine bessere Partnerschaft; eine bessere Partnerschaft bedeutet mehr Sex.«*[56] Es funktioniert also in jeder Richtung. Und es ist erwiesen, daß Paare, die eine gute Beziehung führen, regelmäßig miteinander schlafen. Probieren Sie es aus. Wenn Sie erst einmal angefangen haben, kommt die Lust von ganz allein.

Vielleicht hilft es, wenn Sie sich einen Abend in der Woche als »Liebesabend« reservieren. Selbstverständlich ist Sex nach Terminplan unromantisch. Aber Sie müssen sich den Abend ja nicht mit Rotstift in den Kalender eintragen. Früher wußten wir doch auch, worauf der Abend hinauslief, wenn wir mit dem Angebeteten ins Kino oder in die Disco gingen. Das grande finale des Abends stand damals auch nicht in unserem Terminkalender, war deswegen aber nicht weniger eindeutig. Warum also die Zeit für die Liebe nicht genauso »berechnend« einplanen wie früher, auch wenn es uns damals romantischer vorgekommen ist?

Dies sind nur einige Vorschläge, wie Sie Ihre Partnerschaft und Ihr Liebesleben trotz Kind in Schwung bringen oder halten können. Das kleine Einmaleins also. Für das große Einmaleins sind Sie selbst zuständig, denn Sie wissen am besten, was Ihnen und Ihrem Partner guttut. Und wenn Ihnen das nicht reicht, finden Sie vielleicht in einem Partnerschaftsratgeber die richtigen Anregungen. Es spielt keine Rolle, ob Sie Ihrer Beziehung durch Sexspiele oder gemeinsame Wanderungen zu neuem Glanz verhelfen, Hauptsache, Sie tun es – und zwar jetzt!

Wenn Sie noch keine Kinder haben, nehmen Sie sich fest vor, Ihr Liebesleben als etwas Wertvolles und Verbindendes weiterzupflegen. Und wenn Sie bereits Kinder haben, ist jetzt genau der richtige Zeitpunkt, für mehr Spaß im Bett zu sorgen.

Für die Sexualität wie für die Partnerschaft allgemein gilt, je länger Sie sie schleifen lassen, desto schwieriger wird es, sie wieder aufzu-

möbeln. Ohne Ihr Zutun kommt die alte Leidenschaft jedenfalls nicht zurück.

Tips & Tops für die Beziehungspflege

- Paare brauchen, unabhängig von ihren Kindern, Erlebnisse, die sie verbinden und die ihnen Vergnügen und Lust bereiten. Machen Sie den Satz: *Meine Partnerschaft ist das Wichtigste von allem* zu Ihrem Leitsatz.
- Gewinnen Sie mehr Zeit für die Partnerschaft, indem Sie in anderen Lebensbereichen kürzertreten.
- Achten Sie darauf, nicht immer wieder an der Partnerschaft zu knapsen, wenn Sie unter Zeitdruck stehen!
- Nehmen Sie sich regelmäßig Zeit für Gespräche. Unterhalten Sie sich mit Ihrem Partner über die Beziehung. Klären Sie ab, wo Sie stehen und welche Wünsche und Bedürfnisse Sie haben.
- Nehmen Sie sich jeden Tag nach dem Nachhausekommen zehn Minuten Zeit, um mit Ihrem Partner Kontakt aufzunehmen und zueinanderzufinden.
- Organisieren Sie einen regelmäßigen Paar-Abend und gehen Sie aus dem Haus, raus aus dem Dunstkreis von Wohnung und Kindern!
- Erwarten Sie nicht, daß Ihnen die Trennung vom Kind leichtfällt. Auch Sie müssen das Abnabeln üben. Lernen Sie es frühzeitig. Es wird nicht leichter, wenn Sie damit jahrelang warten.
- Machen Sie Paarurlaub.
- Pflegen Sie ein aktives Liebesleben, und warten Sie nicht darauf, daß die alte Leidenschaft von allein wiederkommt. Der Appetit kommt beim Essen!

9. Kapitel Und was ist mit mir? – Lernen Sie, Sie selbst zu bleiben

Haben Sie Probleme damit, den letzten Schokokeks in der Pakkung selbst zu essen, statt ihn Ihrem Kind zu überlassen? Oder nach acht Stunden Büroarbeit einen Spaziergang zu machen, obwohl zu Hause Ihr Kind wartet? Kaufen Sie teure Sachen für Ihren Sprößling, obwohl Sie das gleiche Geld für sich nicht ausgeben würden? Verzichten Sie Ihrem Kind zuliebe immer wieder auf Sport, Treffen mit Ihren Freundinnen oder romantische Abende mit Ihrem Liebsten?

Wenn Sie alle diese Fragen mit einem klaren »Nein« beantworten können, wunderbar. Falls nicht, haben auch Sie vermutlich eine mehr oder weniger ausgeprägte Neigung zur Selbstaufopferung, über die Sie im folgenden Genaueres erfahren sollen.

Vorsicht vor der weiblichen Aufopferungsfalle

Frauen, die ihren Kindern zuliebe auf nichts verzichten, gibt es ungefähr so häufig wie Regen in der Sahara. Mütter, die sich den letzten Keks selbst in den Mund schieben, sind also rare Exemplare. Ganz im Gegensatz zu Vätern, die damit ebensowenig Probleme haben wie Kinder. Sie essen den Keks einfach auf.

Doch die genannten Beispiele sind nur harmlose Anzeichen eines viel ernsthafteren Phänomens: dem mütterlichen Drang zur Selbstaufopferung. Es ist kein Zufall, daß selbst in partnerschaftlich orientierten Beziehungen, in denen beide Eltern berufstätig sind, die Hauptverantwortung für Haushalt und Kinderbetreuung in der Regel bei der Frau liegt. Der Aufopferungsdrang ist nämlich integrierter Bestandteil unseres Mutterbildes.

Er ist der siamesische Zwilling des weiblichen Verantwortungsgefühls für den Nachwuchs und tritt mit der Geburt des ersten Kindes quasi automatisch in Aktion.

Mädchen werden im Laufe ihrer Erziehung nicht nur die berühmten »weiblichen« Werte wie Fürsorgebereitschaft, Mitgefühl und Einfühlungsvermögen vermittelt, sondern auch die Überzeugung, eine gute Mutter müsse sich für ihre Kinder aufopfern und ihnen zuliebe die eigenen Bedürfnisse zurückstellen. Kein Wunder, daß viele Mütter es für ihre Pflicht halten, zugunsten der Kinder zu verzichten. Und sie tun es. Sie verzichten auf Schlaf, auf Körperpflege und Friseurbesuche, auf Freizeit, auf Partnerschaft und im Extremfall auf ein Leben außerhalb der Mutterschaft.

Wenn Sie glauben, in keiner Weise gefährdet zu sein, riskieren Sie einen Vergleich mit Ihrem Partner. Wer von Ihnen hat mehr Mühe, eigene Interessen zu verfolgen? Wenn Sie bereits ein Kind haben, fragen Sie sich, wer von Ihnen regelmäßiger Freunde trifft, ein Hobby ausübt und sich innerhalb der Wohnung besser zurückziehen kann? In den meisten Fällen ist es der Mann, dem dies gelingt, und die Frau, die sich einschränkt.

Natürlich sehen wir diese Einschränkungen nicht als Resultat mütterlicher Aufopferung, sondern machen die ständige Zeitnot dafür verantwortlich. Doch wenn wir uns fragen, warum ausgerechnet Frauen so vielen anderen Dingen den Vorrang vor eigenen Interessen einräumen, liegt die Annahme nahe, daß es das mütterliche Pflichtgefühl ist, das selbst den selbstbewußtesten und energischsten Frauen einredet, sie müßten zugunsten ihrer Kinder verzichten.

> Früher habe ich sehr viel Sport gemacht, hatte sehr viel Zeit für mich, konnte mir rote Nägel lackieren, das fällt alles weg. Dabei habe ich gerade das Gefühl, durch die Schwangerschaft, das Tragen des Kindes, müßte ich jetzt eigentlich sehr viel mehr für mich und meinen Körper tun. Auch um gesund zu bleiben. Das alles fehlt ein bißchen. Ich habe das Gefühl, man wird als Mutter eher ausgelaugt. Mir fehlt manchmal die Zeit rumzuspinnen, oder mich einfach nur schön zu machen und feiern zu lassen. Das fehlt halt alles. Wir sind jetzt alle so »vernünftig«.
>
> *(Michaela, 30, Außendienstmitarbeiterin)*

Männer wissen, was gut für sie ist

Weil Männern der Selbstaufopferungsdrang fehlt, gelingt es ihnen viel besser, auf sich zu achten. Sie gehen erst gar nicht davon aus, nach der Geburt ihrer Kinder verzichten zu müssen. Auch sie haben gelernt, daß es die Aufgabe der Mutter ist zu verzichten. Die Probe aufs Exempel ist eine Situation, die vielen Müttern bekannt vorkommen dürfte:

Nach vielem Hin und Her haben Sie es endlich geschafft, sich für ein Wochenende von Ihrer Familie loszueisen, um mit der besten Freundin in ein kinderloses Wochenende zu ziehen. Und was läuft zu Hause ab? Die Chancen stehen gut, daß Ihr Mann sich ebenfalls ein paar schöne Tage macht und den Nachwuchs bei den Großeltern abliefert. Und das Verrückte daran ist, daß damit höchstwahrscheinlich wirklich allen gedient ist: Sie können sich nach Herzenslust amüsieren, Ihr Mann verbringt ein zünftiges Männerwochenende, die Kinder werden nach Strich und Faden verwöhnt, und die Großeltern sind glücklich, die Enkel einmal ganz für sich zu haben. Nur – wären *Sie* im umgekehrten Fall auch auf die Idee gekommen?

Umgang mit Problemen

Trotz der größeren Belastungen in ihrem Leben mit Kind bezeichnen sich fast alle Frauen, die ich befragte, beruflich wie privat als durchaus zufrieden. Im Gegensatz zu ihren Partnern, die sie als deutlich unzufriedener einschätzen. Dabei haben Frauen objektiv gesehen natürlich nicht weniger Probleme als die Männer an ihrer Seite. Bei den drei wesentlichen Problempunkten, die sich nach der Geburt eines Kindes ergeben, stimmen Männer und Frauen sogar völlig überein: Alle wünschen sich *mehr Zeit für sich selbst, mehr Zeit für die Partnerschaft* und *Entlastung im Haushalt.* Ist dies also wieder einmal ein Beweis für das alte Vorurteil, Männer seien einfach empfindlicher als Frauen? Machen letztere nur weniger »Wind« um ihre Probleme?

Vielleicht liegt es gar nicht an der Wehleidigkeit der Männer, daß sie von ihren Frauen als unzufriedener eingeschätzt werden? Vielleicht ist es vielmehr die weibliche Verzichtbereitschaft, die es Frauen ermöglicht, sich trotz bestehender Defizite zufrieden zu fühlen. Frauen rechnen eher damit, daß sich ihr Leben nach der Geburt des Kindes verändert, Männer werden davon überrascht. Solange die Veränderungen nicht dazu führen, daß eine Frau sich selbst aus den Augen verliert und nichts gegen die Mißstände unternimmt, hat diese Fähigkeit durchaus ihr Gutes. Sie erlaubt es Ihnen nämlich, sich gut zu fühlen, auch wenn nicht alles perfekt ist. Ihre Zufriedenheit sollte Sie nur nicht davon abhalten, gegen das, was Sie stört, anzugehen. Ansonsten kann dieses Wissen Ihnen durchaus nützlich sein, wenn Sie wieder einmal verwundert den Kopf darüber schütteln, daß Sie und Ihr Partner den gleichen Sachverhalt völlig unterschiedlich bewerten.

> *Sie:* Also, ich finde, dafür daß wir so ein kleines Kind haben, haben wir relativ viele Freiräume. Ich empfinde es allein als puren Luxus, sich morgens in Ruhe fertig machen zu können oder wirklich einfach diese Stunde zu haben, wo man in Ruhe wach werden kann, im Bett zusammensitzt, Kaffee trinkt und Radio hört.
>
> *Sie über ihn:* Na ja, für ihn ist das natürlich immer noch zuviel Familienleben und zu wenig Partnerschaft. Auch dieses ständig parat sein und daß man es sich nicht selber einteilen kann. Der Tagesablauf wird einem ja gerade mit einem Baby diktiert, damit hat er sehr große Probleme. *(Michaela, 30, Außendienstmitarbeiterin)*

Wahrscheinlich hätte Michaela es zwei Wochen vor der Geburt noch nicht als Luxus, sondern als normal empfunden, sich morgens in Ruhe fertigzumachen. Es bleibt dabei: Frauen empfinden die Einschränkungen, die das Leben mit Kindern mit sich bringt, weit weniger drastisch als ihre Partner. Sie sind zufriedener, ohne die Defizite und änderungsbedürftigen Umstände in jedem Fall zu übersehen.

Problematisch wird es dann, wenn das Empfinden von Mann

und Frau zu weit auseinanderklafft. Denn wenn er sich mit dem neuen Leben überhaupt nicht arrangieren kann, hat das spürbare Folgen für das Wohlbefinden der restlichen Familie und die Partnerschaft. Abhilfe tut also not. Und da die Hauptprobleme von Männern (und von Frauen) sich auf fehlende Zeit für das Eigenleben und für die Partnerschaft konzentrieren, sollten Sie sich, sofern dies auf Ihre Situation zutrifft, noch einmal die Ausführungen zu einer positiven Haushaltsorganisation (Kapitel 5) und Partnerschaftsgestaltung (Kapitel 8) ansehen.

Zuviel Verzicht ist ungesund

Carin Rubenstein formuliert in »Wenn Mütter zu sehr lieben« die Standardformel der mütterlichen Aufopferung: Eine gute Mutter hat keine Zeit für sich selbst, keine Zeit, um über die eigenen Bedürfnisse nachzudenken.[57] Und je mehr diese Formel auf eine Frau zutrifft, desto schlimmer sind die Auswirkungen.

Der Drang zur Selbstaufopferung ist eng verknüpft mit einem übersteigerten Verantwortungsgefühl. Warum, zum Beispiel, haben viele Frauen die Angewohnheit, vieles an sich zu reißen? Seien es Kinderangelegenheiten, Hausarbeiten oder sonstigen Kleinkram wie die Beachtung der Verwandtschaftsgeburtstage und das Besorgen von Geschenken. Danach befragt, räumen diese Frauen ein, es keineswegs aus Spaß an der Sache zu tun (dann wäre es ja in Ordnung), sondern weil sie sich »irgendwie« veranwortlich fühlen. Ihr Partner hat dadurch natürlich alle Möglichkeiten, sich vor der häuslichen Verantwortung zu drükken. Überall dort, wo die Frau mehr macht, macht er weniger. Und Kinder kommen gar nicht erst auf die Idee, daß sie vielleicht lernen sollten, mitanzupacken. So wird auch noch nebenbei die Abhängigkeit des Kindes von der Mutter gefördert, weil sie sich zur alleinverantwortlichen Instanz macht und das Bild von der aufopferungsvollen Mutter weitergibt.

Im Grunde genommen brauchen Frauen keinen ausgeprägten Aufopferungsdrang, um die Organisation von Familienangelegenheiten in der Hand zu haben. Es ist sowieso der Normalfall. Von der Kinderbetreuung über die Familienausflüge bis hin zu Einkäufen und Entrümpelungsaktionen sind es die Frauen, die die großen »W« im Hinterkopf haben: Wer macht was, wann, wie und wo? Für Ihren Mann ist das vermutlich kein Problem (schließlich hat so eine Oberorganisatorin durchaus ihr Gutes), aber Sie sollten überprüfen, ob Sie mit dieser Aufgabe zufrieden sind oder ob Sie bestimmte Bereiche lieber abgeben würden.

Aufopferung lohnt sich nicht!

Für Mütter mit einem ausgeprägten Aufopferungsdrang ist Hausarbeit Ehrensache, obwohl hier keineswegs nur von Vollzeitmüttern die Rede ist. Bildungsstand, beruflicher oder familiärer Status einer Frau haben auf ihren Hang zur Selbstaufopferung keinen nennenswerten Einfluß. Aufopferungsvolle Mütter glauben eben, die Brötchen nicht nur verdienen, sondern sie auch noch aufbacken zu müssen, ist Carin Rubensteins anschauliche Erklärung dafür.[58] Das Dumme ist nur, daß sich der ganze Aufwand gar nicht lohnt. Niemand bedankt sich bei aufopferungsvollen Frauen für ihre Extramühe, und sie werden dafür weder von ihrem Partner noch von den Kindern mehr geachtet. Im Gegenteil. Wer sich selbst zur Putze der Familie macht, wird auch so behandelt. Kein Wunder also, daß Umfragen zu dem einstimmigen Ergebnis kommen, stark aufopferungsvolle Frauen seien wesentlich unzufriedenere Mütter und Partnerinnen als andere Frauen. Außerdem sind sie unzufriedener mit sich selbst und leiden häufig unter einem geringen Selbstwertgefühl. Doch wer kein Gefühl für den eigenen Wert hat, kann auch keine gute Mutter und Partnerin sein. Es ist also ein Teufelskreis, der unbedingt aufgebrochen werden muß.

Achten Sie deshalb nach der Geburt Ihres Kindes verstärkt darauf, Ihre Verzichtbereitschaft mit einem gesunden Gespür für die eigenen Bedürfnisse in Einklang zu bringen. Sie haben keinen Alleinanspruch auf die

Opferrolle! Sorgen Sie für sich als Frau und Partnerin ebensogut, wie sie für Ihr Kind sorgen, und achten Sie darauf, daß auch Ihr Partner – und später Ihr Kind – Verantwortung übernehmen.

Pflegen Sie sich!

Allem Anschein nach fällt es auf dieser Welt niemandem schwerer, auf sich selbst zu achten, als Frauen mit ganz kleinen Kindern. Die Neigung zum Verzicht ist bei ihnen am ausgeprägtesten und ebenso das schlechte Gewissen. Es ist, als trügen frischgebackene Mütter nicht nur tagein, tagaus ihr Baby herum, sondern hätten sich zudem noch den Muttermythos auf den Rücken gebunden, der sie permanent antreibt, sich zu fragen, ob sie denn auch genug verzichten. Und weil viele Frauen es gern allen recht machen wollen (sich selbst ausgenommen), schleppen sie zu allem Überfluß auch noch ein chronisch schlechtes Gewissen mit sich herum.

Johanna ist voll berufstätig. Sie hat sich ihre Zeit so eingeteilt, daß ihr abends noch einige Stunden mit dem Kind bleiben. Doch wie sie es dreht und wendet, ein schlechtes Gewissen hat sie immer:

> Ich habe ein schlechtes Gewissen, wenn wir beide länger arbeiten, d. h. wenn wir sie beide erst um sieben Uhr holen und sie dann wirklich nur noch kurz schmusen, wickeln und ins Bett bringen, weil sie um halb acht schläft … Im Job habe ich manchmal ein schlechtes Gewissen, wenn ich um sechs Uhr gehe oder um halb sechs, weil manche bis um zehn Uhr abends sitzen. Ich hätte gerne ein weniger schlechtes Gewissen, daß ich mir das rausnehme, so regelmäßig relativ früh zu gehen.
>
> *(Johanna, 38, Grafikerin)*

Sie kommen nicht darum herum: Wenn Sie als Frau und *als Mutter glücklich werden wollen, müssen Sie sich Ihres eigenen Wertes bewußt bleiben, auf sich achten und sich pflegen. Außerdem sind Sie das Vorbild Ihres Kindes und geben ihm weiter, was Sie ihm vorleben.*

Zwar fällt es Frauen mit zunehmendem Alter leichter, auch an sich selbst zu denken, weil die Kinder inzwischen groß und unabhängig sind oder die Frauen einfach keine Lust mehr haben, es ständig anderen Leuten recht zu machen. Doch das ist kein Trost. Wichtig ist, daß Sie jetzt auf sich achten, wo Sie es am nötigsten haben! Behalten Sie die Frau im Auge, die Sie waren, bevor Sie Ihr Kind bekamen, und sorgen Sie dafür, daß diese ein Teil von Ihnen bleibt.

Das muß keinesfalls auf Kosten Ihres Partners und Ihres Kindes gehen. Im Gegenteil, Ihr Ziel ist gerade ein ausgewogenes Verhältnis zwischen Ihnen, Ihrer Familie und Ihrer Partnerschaft. Es geht nicht um entweder – oder, sondern um ein gutes, zufriedenes Miteinander. Vergessen Sie nicht, daß jede Familie nur so glücklich sein kann, wie jedes einzelne ihrer Mitglieder.

Wenn Sie es schaffen, auch nach der Geburt regelmäßig etwas für sich zu tun, werden Sie schnell feststellen, wie sehr Sie davon profitieren. Carin Rubenstein hat nachgewiesen, daß Frauen, die auf sich achten, mit fast allen Aspekten ihres Lebens zufriedener sind als aufopferungsvolle Frauen: »mit ihrer Beziehung, ihrem Beruf, ihren intellektuellen Fähigkeiten, ihren Freunden, ihrem Körper, ihrem Aussehen und dem Verlauf ihres Lebens … Sie haben das Gefühl, die Fäden in der Hand zu halten und fühlen sich kompetent.«[59] Das klingt doch ziemlich verlockend!

Einige Tips zur Selbstpflege habe ich am Ende dieses Kapitels für Sie zusammengestellt.

Ich bin ich – auch ohne Kind

Wenn Sie es schaffen, Ihr eigenes Wohlergehen genauso im Blick zu behalten wie das Ihrer Familie, werden Sie bald feststellen, wie schön es sein kann, in Ihrem Leben eine weitere Facette hinzugewonnen zu haben. Sie sind nun eine berufstätige Frau, eine Partnerin und eine Mutter. Achten Sie jedoch darauf, nicht alles zugleich sein zu wollen. Sie reduzieren damit den Glanz jeder einzelnen Facette und riskieren, im falschen Moment auf die falsche Rolle festgelegt zu werden.

So wie Sie im Beruf hauptsächlich berufstätige Frau sind

(ohne deshalb Ihre Mutterschaft verstecken zu müssen) und als solche wahrgenommen werden wollen, sind Sie in anderen Situationen die Partnerin Ihres Mannes und nicht in erster Linie die Mutter seiner Kinder. Dieses Selbstverständnis bringen wir durch unser Verhalten zum Ausdruck. Wenn ich ewig mit einem Kindersitz auf dem Fahrrad durch die Stadt radle, selbst wenn er gar nicht gebraucht wird und er sich mit einem einzigen Handgriff herunternehmen ließe, muß ich mich nicht wundern, daß mich der Gemüsehändler jovial mit »Schönen Tag auch, junge Mutter« begrüßt. Mir zum Beispiel mißfällt das. Abgesehen davon, daß ich es viel sportlicher finde, ohne Klappersitz durch die Gegend zu flitzen. Sieht schließlich auch besser aus! Ich käme ja auch nicht auf die Idee, mit Spielplatzklamotten ins Büro oder im kleinen Schwarzen zum Kindergartenfest zu gehen.

Verhalten und Kleidung sind sichtbare Zeichen unseres Selbstverständnisses. Sie können beeinflussen, wie Sie wahrgenommen werden wollen. Achten Sie darauf, daß keine Ihrer vielen Facetten zu kurz kommt.

Tips & Tops zur Selbstpflege

- Halten Sie nach der Geburt Ihres Kindes Ihren Aufopferungstrieb in Schach. Wer zuviel Verantwortung übernimmt, entbindet den Partner von Rechten und Pflichten und stört das partnerschaftliche Gleichgewicht.
- Sorgen Sie für sich selbst genausogut wie für Ihre Kinder.
- Machen Sie sich jeden Tag eine kleine Freude: Unternehmen Sie einen Spaziergang, schenken Sie sich ein Lesestündchen, eine Stunde Joggen, eine Cappuccino-Pause, einen schönen Film am Abend, eine Telefonplauderei mit einer Freundin …
- Pflegen Sie sich regelmäßig: Gehen Sie zum Friseur, sooft Sie es brauchen, zur Kosmetikerin, lackieren Sie sich die Nägel, nehmen Sie Schaumbäder, gehen Sie viel an die frische Luft.
- Tun Sie etwas nur für sich selbst: Belegen Sie einen Fortbildungskurs, der Sie interessiert; lernen Sie Bogenschießen; fahren Sie mit einer Freundin übers Wochenende weg, kaufen Sie sich etwas Schönes.
- Pflegen Sie Kontakt zu ihren Freundinnen und telefonieren Sie regelmäßig.
- Respektieren Sie sich selbst und bekämpfen Sie Ihr schlechtes Gewissen. Sagen Sie sich immer wieder: *Ich habe ein Recht darauf, mich zu verwöhnen. Ich sorge für mich genausogut wie für andere.*
- Überprüfen Sie Ihr Selbstverständnis und versuchen Sie nicht, immer alles gleichzeitig sein zu wollen. Bestimmen Sie selbst, wann Sie als Mutter, als Berufstätige oder als Partnerin gesehen werden wollen.

10. Kapitel **Aus eins mach zwei, mach ...? – Pro und contra weitere Kinder**

Ich kenne einige Frauen, die gerne ein zweites Kind hätten, wenn sie eine Möglichkeit sähen, ihren Beruf und die Kinder befriedigend miteinander zu verbinden, und dabei noch Luft für Eigenleben und Partnerschaft bliebe. Vielen tritt bei diesen Prämissen ein resigniertes Lächeln ins Gesicht. Aber sind diese Ansprüche wirklich so überzogen und unrealistisch? Sicher fehlt es an Kinderbetreuungseinrichtungen und flexiblen Arbeitszeiten, und das gesellschaftliche Verständnis für berufstätige Mütter von mehreren Kindern tendiert gegen null; außerdem sind Tagesmütter, Krabbelstuben und Babysitter ebenso rar wie teuer. Trotzdem glaube ich – und die Gespräche mit Müttern von zwei und mehr Kindern haben das gezeigt –, daß es noch andere Faktoren gibt, die das familiäre Wohlbefinden maßgeblich prägen und die den entscheidenden Vorteil haben, von uns überprüft und beeinflußt werden zu können. Ich meine damit Ihre eigenen Beweggründe für weitere Kinder, die Einstellung Ihres Partners und Ihr häusliches Zusammenspiel.

Es liegt nicht in jedem Fall an der schwierigen Betreuungssituation, wenn Eltern die Belastungen des Familienlebens unerträglich finden. Mitunter haben solche Schwierigkeiten ganz andere, persönliche Ursachen, die Sie im Vorfeld aufdecken und bedenken können. Eine Frau, die ein zweites Kind bekommt, weil sie gerne noch einmal schwanger werden möchte, hat unter Umständen zu kurz gedacht, wenn sie später feststellt, daß das Leben mit einem Säugling und einem größeren Kind sie zu sehr belastet. Umgekehrt können Sie mit einer funktionierenden Partnerschaft und einem guten Arbeitsplatz im Rücken vielleicht auch eine Kinderbetreuungskrise unbeschadet überstehen.

NEIN zum zweiten Kind

sagen heute viele berufsorientierte Frauen mit einem Kind und zwar aus den verschiedensten Gründen. Manche Frauen könnten sich weitere Kinder zwar vorstellen, verzichten aber der Partnerschaft zuliebe auf weiteren Nachwuchs. Dies ist bei Michaela der Fall, die überzeugt ist, ein zweites Kind würde ihre Beziehung restlos überstrapazieren.

> Ganz knallhart: nicht mit meinem Mann! Ich möchte mit ihm weiter zusammenbleiben, weil ich das Gefühl habe, daß wir das eigentlich trotz der Schwierigkeiten ganz gut hinbekommen und auch eine Entwicklung da ist. Aber mit ihm möchte ich keine weiteren Kinder, das wäre mir zu anstrengend. Wenn wir uns aus irgendwelchen Gründen trennen und ich würde jemanden anders kennenlernen, dann wäre das eine andere Sache. Aber mit zwei Kindern kann ich mir das mit ihm nicht vorstellen. *(Michaela, 30, Außendienstmitarbeiterin)*

Dabei ist Michaela mit ihrer Partnerschaft durchaus zufrieden – aber nicht mit den häuslichen Regelungen, bei denen sie das Gefühl hat, sowohl in der Kinderbetreuung als auch bei der Hausarbeit übermäßig gefordert zu sein. In diesem Fall auf ein zweites Kind zu verzichten ist ehrliche Einschätzung, die für die Partnerschaft und das Familienleben nur vorteilhaft sein kann.

Arbeitsbelastung

Michaelas Situation ist keineswegs ein Einzelfall. Denn *in Familien, wo die Verteilung von Hausarbeit und Kinderbetreuung Probleme bereitet – und seien sie noch so geringfügig –, tendieren berufsorientierte Frauen vielfach dazu, keine weiteren Kinder mehr zu bekommen.*

Doch auch der umgekehrte Fall ist denkbar, nämlich dann, wenn der Mann aktiv an Hausarbeit und Kinderbetreuung beteiligt ist, aber seinerseits befürchtet, ein weiteres Kind könnte alle überfordern. Mit dieser Einstellung gilt es sich ernsthaft auseinanderzusetzen. So berichtet Karola:

Volker hat sich sterilisieren lassen, als Max ein Jahr alt war. Für ihn war es ganz klar, daß er kein drittes Kind mehr will, für mich war es nicht so klar. Vom Gefühl her war es für mich nicht klar, vom Organisatorischen und aus Vernunftgründen her schon. Ein drittes Kind hätte für uns bedeutet, daß ich wieder weniger arbeite, daß sich meine beruflichen Ziele weiter nach hinten verschieben, was mich noch mehr beängstigt hätte. Für Volker hätte das bedeutet, daß er auf jeden Fall immer ranschaffen muß. Für ihn ist dieser Job, den ich jetzt habe, auch eine Entlastung, weil ich soviel Geld verdiene, daß, wenn er sagen würde, er hat keinen Bock mehr, die Familie trotzdem irgendwie laufen könnte.

(Karola, 38, Erzieherin)

Die Faustregel ist: *Je stärker der Partner in das Familienleben eingebunden ist, desto klarer sind seine eigenen Vorstellungen zur weiteren Familienplanung.* Die Erklärung liegt auf der Hand: Männer, die in ihrer Familie Hausarbeit und Kinderbetreuung mittragen, haben eine realistische Einschätzung davon, was weitere Kinder für Beruf, Partnerschaft und Familie bedeuten. Daher haben sie ein explizites Interesse daran, die Kinderzahl mitzubestimmen – und gegebenenfalls zu begrenzen. Das kann für Frauen zum Konflikt werden, wenn die Ansichten über die Kinderzahl auseinandergehen, wie bei Jutta, die berichtet:

Ich kann es mir vorstellen, noch ein Kind zu bekommen, aber Alexander sagt, für ihn wäre es so, wie es ist, rund. Er würde jetzt nicht definitiv nein oder no, never sagen, aber eigentlich hat er es nicht vor. Und nur für mich würde ich kein drittes Kind haben wollen. Wenn, muß er sich von Herzen entscheiden. *(Jutta, 36, Journalistin)*

Es ist sicher nicht leicht, eine solche Einstellung des Partners zu akzeptieren. Andererseits kann Jutta darauf bauen, daß Ihr Mann weiß, wovon er redet. Er hat es nämlich geschafft, trotz seiner leitenden Position eine Teilzeitregelung durchzusetzen, um sich die Familienarbeit mit ihr zu teilen.

Es fällt bestimmt keiner Frau leicht, auf weitere Kinder zu verzichten, wenn sie sich welche wünscht, der Partner aber dagegen ist. Andererseits ist es nicht nur eine Frage der partnerschaftlichen

Fairneß und des Respekts, solche wichtigen Entscheidungen nicht allein zu fällen. Die Haltung des Partners zu weiteren Kindern ist schließlich von entscheidender Bedeutung für seine zukünftige Mitarbeit in der Familie. Wenn ich von meinem Partner möchte, daß er die Verantwortung für Haushalt und Kinder mit mir teilt, dann muß ich auch bereit sein, seine Ansichten mit einzubeziehen und eine von beiden getragene Entscheidung herbeiführen.

Seien Sie also auf der Hut, wenn Sie einem Mann begegnen, der Ihnen vorschwärmt, wie begeistert er von Kindern ist und daß er gar nicht genug davon haben könne. Vermutlich denkt er nicht im Traum daran, die lieben Kleinen könnten irgend etwas mit seiner zukünftigen Lebensgestaltung oder gar Arbeitsbelastung zu tun haben (mit Ihrer eigenen dafür um so mehr).

Einer meiner Bekannten ist ein solcher Kandidat. Er ist Manager und beruflich stark eingespannt. Ständig ist er unterwegs, hat Repräsentationspflichten hier, Medienauftritte da, und auf dem Schreibtisch türmt sich die Arbeit, während seine Frau zu Hause die beiden Kinder betreut. Aber seine Begeisterung als Vater kennt keine Grenzen: »Ich könnte jedes Jahr eines dazubekommen«, sagte er mir, bloß seine Frau wolle keine weiteren Kinder. Wem fehlt es hier wohl an einer realistischen Einsicht in das Leben des anderen?

Berufliche Einschränkungen

Leider haben nur wenige Frauen einen Partner, der bereit ist, seine Tätigkeit auf ein Teilzeitmodell umzustellen. Zur Zeit sind es knappe fünf Prozent der berufstätigen Männer in Deutschland. Auch Väter im »Erziehungsurlaub« gelten leider weiterhin als Exoten, deshalb sollten Frauen sich darüber im klaren sein, daß bei wachsender Kinderzahl zwangsläufig ihre *eigene* Belastung durch die in der Familie anfallenden Arbeiten überproportional ansteigt. Auf eine Formel gebracht, bedeutet das, *je zahlreicher und jünger die Kinder, desto höher ist auch die Tendenz zur klassischen Rollenverteilung in der Familie*. Dies hat zwangsläufig Auswirkungen auf das berufliche Engagement von Frauen und ist für viele, die in dieser Hinsicht nicht weiter zurückstecken möchten, ein wichtiger Grund, kein zweites oder drittes Kind zu bekommen.

Partnerschaft

Aber nicht nur der Beruf, auch die Partnerschaft wird durch eine wachsende Kinderschar massiv belastet. Machen wir uns nichts vor – wenn es gilt, irgendwo Zeit und / oder Geld zu sparen, verzichten die meisten von uns lieber auf die letzten Stunden der Zweisamkeit, ehe wir einmal organisierte Zuständigkeiten und Zeiteinteilungen grundsätzlich in Frage stellen. Es ist ja auch so einfach und bequem. »Bleiben wir heute halt zu Hause. Dann freuen sich die Kinder, wir sparen das Geld für den Babysitter und haben es hier auch gemütlich.« Wer kennt solche Gedanken nicht? Über die Gefahren, die die Vernachlässigung der Partnerschaft mit sich bringt, wurde in den vergangenen Kapiteln bereits ausführlich berichtet. Wichtig für Ihre weitere Familienplanung ist jedoch, daß Sie ein Gespür für Ihre eigenen Bedürfnisse entwickeln. Wenn Sie sich ein weiteres Kind wünschen, sich aber gleichzeitig nach mehr Zweisamkeit sehnen, dann ist das ungefähr so, als wollten Sie im Sommer zum Skilaufen an die Adria fahren. Und das tun Sie schließlich auch nicht.

Überprüfen Sie den Zustand Ihrer Partnerschaft. Existiert sie noch außerhalb des Familienzusammenhanges, und kann sie, nach Ihrer Meinung und nach Ansicht Ihres Partners, ein weiteres Kind verkraften? Oder befinden Sie sich gar mitten in einer (unausgesprochenen) Beziehungskrise? Vielen Eltern ist gar nicht bewußt, daß das zweite Kind sozusagen ihre »Antwort« auf die Beziehungskrise darstellt. Sie würden diesen Gedanken empört von sich weisen und könnten jede Menge überzeugende Gründe für ihren Kinderwunsch nennen. Tatsache ist jedoch, daß nur Sie entscheiden können, wie es um Ihre Partnerschaft wirklich steht. Deshalb sollten Sie sich unbedingt klarmachen, daß »ein zweites Kind die Probleme eines Paares zwangsläufig verstärken muß, wenn die Krise der Beziehung nach der Geburt des ersten Kindes nicht positiv verarbeitet werden konnte«.[60] Steht Ihre Partnerschaft dagegen auf sicheren Füßen, spricht nichts gegen ein weiteres Kind.

Vielleicht kommen Sie bei der Überprüfung Ihrer Bedürfnisse auch zu der Feststellung, daß Sie sich inzwischen als zu alt empfinden oder einfach keine Lust mehr haben, wieder »von vorne anzufangen«, weil Sie die wiedergewonnenen Freiheiten nicht mehr aufgeben möchten.

Was auch immer Sie herausfinden mögen, nehmen Sie es ernst! Prüfen Sie Ihre berufliche und private Situation und stellen Sie fest, ob das, was Ihnen vorschwebt, mit einem weiteren Kind zu vereinbaren ist. Jeder Organisation sind Grenzen gesetzt, schließlich sollen Sie und Ihr Partner Ihr Leben nicht nur abwickeln, sondern auch noch genießen können.

JA zum zweiten Kind

sagen sowohl Frauen, die beim ersten Kind positive Erfahrungen gemacht haben, als auch jene, die überwiegend schwierige Zeiten durchleben mußten. Eine meiner Freundinnen rief mir gleich nach der Geburt Ihres Kindes entgegen: »Das war so toll! Das könnte ich gleich noch mal machen!« Abwarten, habe ich damals gedacht. Das Kind ist noch nicht mal zu Hause. Aber im Grunde genommen blieb es bei ihrer positiven Haltung, und ihr zweites Kind kam drei Jahre später.

Bei anderen Frauen geht so viel schief, daß sie die erste Zeit mit ihrem Neugeborenen als totalen Horror erleben. Katrins Beziehung ging noch vor der Geburt ihrer Tochter Sarah in die Brüche, und sie war mehrere Jahre lang alleinerziehend. Obwohl ihr Betreuungsmodell nicht gut anlief, mußte sie nach acht Wochen zurück an den Arbeitsplatz und auf eine Prüfung hinarbeiten, was für sie eine fast unerträgliche Belastung war. Inzwischen hat sie geheiratet, Sarah ist fünf Jahre alt, und Katrin erwartet ihr zweites Kind, bei dem sie hofft, einiges besser machen zu können:

Ich möchte diesmal einfach die Zeit haben, mich hinzusetzen mit dem Kind und es schon im ersten halben Jahr richtig liebzuhaben. Und nicht vor lauter Hektik und Streß zu denken, eigentlich will ich es gar nicht – aber dann ist sie doch wieder so süß, und dann knuddelst du doch mit ihr und hast sie gern ... Irgendwie ständig hin- und hergerissen zu sein zwischen den Gefühlen, das möchte ich diesmal nicht. Ich wünsche mir einfach mal eine schöne Zeit mit einem Kind, ein schönes erstes halbes Jahr. Auch um diesem Kind mehr geben zu können und nicht so wie bei Sarah, wo ich diese Zeit nicht haben durfte. *(Katrin, 30, Hebamme)*

Wie ist es zu erklären, daß solche unterschiedlichen Erfahrungen zum gleichen Ergebnis führen können, nämlich dem Wunsch nach einem zweiten Kind? Die Antwort ist ganz einfach: *Je gleichmäßiger die Verteilung von Berufs- und Hausarbeit bzw. Kinderbetreuung zwischen den Partnern geregelt ist, desto positiver ist die Haltung der Frauen zu weiteren Kindern.*

Meine Freundin hatte von Anfang an einen Mann an ihrer Seite, der sich Haushalt und Kinderbetreuung mit ihr teilte, und auch Katrin hat inzwischen einen Partner gefunden, der bereit ist mit anzupacken. Deshalb kommen zwei Frauen, deren Vorerfahrungen nicht unterschiedlicher hätten sein können, zur gleichen Entscheidung.

Das Genußkind

Der Wunsch nach einem zweiten Kind klingt überraschenderweise bei allen Frauen mehr oder weniger gleich, nämlich ungefähr so: »Das zweite ist dann zum Genießen.« Dies hängt einerseits mit dem Gefühl zusammen, daß Frauen sich beim zweiten Kind wesentlich sicherer fühlen und weniger unter Ängsten und Unsicherheit leiden, andererseits haben sie bei einer zweiten Schwangerschaft wesentlich konkretere Vorstellungen davon, was organisatorisch auf sie zukommt. Sie besitzen Vorerfahrungen mit einem Vereinbarkeitsmodell und können klar benennen, was sie beim nächsten Kind verändern beziehungsweise verbessern wollen. Die gemachten Erfahrungen sollen ihnen helfen, alte Fehler zu vermeiden und neuen vorzubeugen, damit sie das zweite Kind mehr genießen können. Und was sind die konkreten Veränderungswünsche?

Im Grunde genommen sind sich alle Frauen darin einig, die erste Zeit nach der Geburt des zweiten Kindes weniger hektisch und anstrengend gestalten zu wollen. Das bedeutet jedoch nicht, daß Frauen nach der Geburt des zweiten Kindes länger aussteigen. Im Gegenteil. Die meisten kehren sogar früher als beim ersten Kind an ihren Arbeitsplatz zurück und geben das zweite auch eher in Betreuung. Allerdings steigen sie in der Regel mit weniger Wochenstunden wieder ein, und sie treffen genauere Absprachen, um den beruflichen Druck zu mildern. Das ursprüngliche Vereinbarungsmodell wird also von den meisten Frauen nicht in Frage gestellt, sondern beim zweiten Kind punktuell verbessert.

Während viele Frauen beim ersten Kind den nötigen Elan zum Aufbau ihres jeweiligen Modells aus dem Reiz des Neuen schöpften, der Sensation der ersten Schwangerschaft und Geburt und aus dem festen Entschluß, eine Vereinbarung von Beruf und Familie herbeizuführen, zeigen sie beim zweiten Kind eine etwas andere Einstellung. Vielfach entwickeln Frauen einen wesentlich pragmatischeren Blick auf das Kommende und legen mehr Wert darauf, Kraft zu sparen. Das fängt mit der Einstellung zur zweiten Schwangerschaft an, die »viel mehr nebenher läuft« und in der Partnerschaft wie im Umfeld weniger Aufmerksamkeit genießt, und setzt sich auch nach der Geburt fort. Die Frauen fühlen sich aufgrund ihrer Vorerfahrungen lockerer, sie haben klarere Vorstellungen in bezug auf ihren Beruf, den Umgang mit dem Kind und der Einschätzung ihrer eigenen Kräfte.

Wobei ich sagen muß, nach den Erfahrungen, die ich in diesen eineinhalb Jahren (mit dem ersten Kind) gesammelt habe, war mir klar, daß ich es irgendwie anders haben möchte. Ich wollte nicht mehr unter diesen Terminstreß geraten, unter dem ich gestanden hatte, und ich wollte mich auch von diesem Druck befreien, unter den ich mich selber gesetzt hatte, beweisen zu müssen, alles doppelt und dreifach gut zu können. Wobei sich das im Verlauf der eineinhalb Jahre verändert hat. Ich will einfach dazu stehen, daß ich eine Familie habe und die Kinder manchmal krank sind, das ist so. Entweder sie können damit leben, oder es geht nicht. Ich will jedenfalls nicht mehr, daß es nur auf meine Kosten geht. Ich bin da einfach klarer für mich, ruhiger. *(Jutta, 36, Journalistin)*

Die Tendenz zum Kräftesparen zeigt sich beispielsweise auch in einer oftmals veränderten Einstellung zum Stillen. Viele Frauen neigen dazu, die Stillphase beim zweiten Kind zu verkürzen und / oder frühzeitig Zusatznahrung zu verwenden, um sich zu entlasten.

Ob ich das noch mal so machen würde, weiß ich nicht. Ich würde es beim zweiten Mal wahrscheinlich mit Zusatzernährung machen und auch nachts vielleicht eine Flasche anrühren, damit der Milchfluß nicht mehr so gigantisch ist. Daß ich mir das vielleicht ein bißchen angenehmer mache. Wenn das Stillen eine richtige Vollernährung ist, ist es einfach auch eine riesige Menge, da muß man mehrmals nachts aufstehen. Das ist schon sehr belastend, und ich würde es beim zweiten sicherlich anders planen. Das ist auch nicht schädlicher, schließlich gibt es genug Kinder, die von Anfang an fremde Milch kriegen und auch groß werden. Ich denke, dieser Kult, von dem kann man auch Abstriche machen.

(Carolin, 36, Geschäftsführerin)

Darüber hinaus spiegelt sich in der Entscheidung für einen schnelleren beruflichen Wiedereinstieg oder für verkürzte Stillphasen auch das gesteigerte Selbstbewußtsein der Frauen im Umgang mit den Kindern. Sie haben vielfach nicht mehr das Bedürfnis, sich streng an die Expertenmeinungen zu halten, sondern vertrauen nun ihrer eigenen Einschätzung, was sie als große Erleichterung empfinden.

Als weiterer Unterschied zur ersten Schwangerschaft kommt für viele Frauen die Überzeugung hinzu, ihr zweites Kind werde vermutlich das letzte sein. Dadurch entsteht eine grundsätzlich andere Einstellung zum jüngeren Kind, wie die folgende Schilderung zeigt:

Was Felix betraf, habe ich nicht damit gerechnet, wie intensiv ich alles empfinden würde. Ich erlebe Felix sehr bewußt, weil er wahrscheinlich mein letztes Kind sein wird, und ich genieße es über die Maßen und sehr viel bewußter als bei Moritz. Das freut mich auch sehr, war mir aber vorher nicht so klar. *(Jutta, 36, Journalistin)*

Alle Frauen mit zwei Kindern berichten, ihr zweites Kind unter dem Gesichtspunkt »es ist mein letztes Baby« mehr genießen zu können. Und obwohl sie in der Regel früher in den Job zurückkehren und das zweite Kind eher in Betreuung geben als das erste, fällt ihnen die Trennung von ihrem Jüngsten deswegen nicht leichter.

Egal, ob Sie sich für oder gegen ein zweites Kind entscheiden, wichtig ist, daß Sie auch in dieser Frage Ihre Wünsche und Vorstellungen mit Ihrem Partner abklären. Ist er an der Familienarbeit beteiligt, wird er selbst eine konkrete Einschätzung davon haben, was ein weiteres Kind für Ihr Leben bedeuten kann. Hat er keinen Anteil an der Hausarbeit und der Kinderbetreuung, so wird sich dies mit aller Wahrscheinlichkeit auch durch ein zweites Kind nicht ändern, und Ihnen muß klar sein, daß letztlich alles an Ihnen hängenbleibt. Kinder – und nicht nur das erste – verändern Ihr Leben so drastisch und langfristig, daß Sie die Entscheidung dafür oder dagegen ohne jede Verklärung treffen sollten, ohne falsche Vorstellungen über die Einstellung Ihres Partners und ohne Rücksicht auf gesellschaftlich erwünschte Ansichten wie »wenn schon, dann zwei, damit's kein Einzelkind wird«.

Tips & Tops zur Entscheidungsfindung

- Vergegenwärtigen Sie sich ohne Beschönigungen Ihre beruflichen und privaten Verhältnisse und fragen Sie sich, was ein weiteres Kind verändern würde.
- Stellen Sie fest, was Ihre Bedürfnisse und Ziele sind, und fragen Sie sich, was ein weiteres Kind daran verändern würde.
- Bewahren Sie Ihren Sinn für das Machbare. Sie können nicht *alles* organisieren. Mehr Partnerschaft und mehr Kinder schließen sich auf Jahre hin gegenseitig aus.
- Seien Sie offen und aufmerksam im Umgang mit Ihrem Partner und achten Sie auf die Zwischentöne.
- Zeigen Sie ehrliches Interesse und Respekt für die Einstellung Ihres Partners.
- Seien Sie bereit, die Gründe für Ihren Kinderwunsch ehrlich zu überprüfen. Wollen Sie wirklich ein weiteres Kind, oder wollen Sie ein schönes Gefühl noch einmal erleben/Ansprüchen anderer genügen/irgendwelche Mängel (Einsamkeit, frühere Entbehrungen) oder Partnerschaftsprobleme ausgleichen?
- Seien Sie bereit, Ihre Entscheidung von den Ergebnissen der obengenannten Faktoren abhängig zu machen und keinen vorgefaßten Entschluß um jeden Preis durchzusetzen.

11. Kapitel Was sich verändert – Neue Anforderungen durch das Kind

Die Geburt eines Kindes stellt nicht nur das Leben der Eltern auf den Kopf und verändert ihre Gefühle, Vorstellungen und Reaktionen; auch das Umfeld, angefangen bei Freunden und Verwandten, über Chefs und Kollegen bis hin zu völlig fremden Menschen, reagiert auf spezifische Weise auf die Elternschaft. Das eigene Gefühlschaos ist also ebenso Folge der Mutterschaft wie das freundlich-anerkennende Nicken vorbeigehender Passanten bei den ersten Spaziergängen mit Kinderwagen, die Vorwürfe aus dem Umfeld, wenn es darum geht, nach keiner oder kurzer Ausstiegszeit in den Job zurückzukehren, ebenso wie Veränderungen im Verhältnis zu den eigenen Eltern.

Im Grunde lassen sich die Umbrüche zwei Bereichen zuordnen: der Veränderung unserer Gefühle einerseits und den Reaktionen des gesellschaftlichen Umfeldes andererseits.

Das neue Selbstwertgefühl

Die gute Nachricht gleich vorweg: Die meisten berufsorientierten Frauen geraten regelrecht ins Schwärmen, wenn sie nach den Veränderungen durch die Mutterschaft befragt werden. Obwohl sie die Schattenseiten der Elternschaft keineswegs ausblenden, sind es offensichtlich die positiven Aspekte, die das neue Lebensgefühl der Frauen prägen. Die hier genannten positiven Veränderungen werden von vielen Frauen erlebt; im günstigsten Falle erfahren sie sogar alle erwähnten Veränderungen. Alles in allem berichten beruflich engagierte Frauen also sehr Ermutigendes über die Auswirkungen der Mutterschaft.

Ein besseres Verhältnis zur eigenen Weiblichkeit

Die schönste Veränderung durch die Mutterschaft ist für die meisten Frauen, im nachhinein betrachtet, ein positiveres Verhältnis zur eigenen Weiblichkeit. Viele von ihnen erleben diese Entwicklung als unerwartet, da sie keineswegs der Auffassung waren, ein Kind gehöre zum Leben einer Frau unbedingt dazu.

Besonders begeistert von der Steigerung ihres eigenen Weiblichkeitsgefühls sind Frauen, die angeben, sie wären am liebsten als Junge auf die Welt gekommen. Das ist kein Wunder, schließlich ist die Mutterschaft »der eindeutigste Beweis, dem weiblichen Geschlecht anzugehören«, wie Ute Ehrhardt sagt.[61] Allerdings darf daraus nicht gefolgert werden, eine Frau ohne Kind sei keine richtige Frau. Viele finden auf ganz anderen Gebieten Erfüllung, ohne sich deshalb weniger weiblich zu fühlen. Und es gibt zahlreiche Mütter, deren Gefühl von Weiblichkeit sich durch die Geburt eines Kindes nicht verändert. Die Mehrzahl der Frauen empfindet sich jedoch durch die Geburt ihres Kindes in ihrem Frausein erfüllt und bestätigt.

> Ich habe schon manches Mal gedacht, dadurch, daß ich Mutter geworden bin, bin ich erst richtig zur Frau geworden. Das Mutterwerden hat mir eine unheimliche Kraft gegeben. Auch sexuell habe ich das Gefühl, noch mal ein anderes Gefühl zu meinem Körper gewonnen zu haben und zu dem ganzen weiblichen Anteil in mir. Den habe ich vorher längst nicht so gelebt. Nicht, daß ich denke, man ist nur eine vollständige Frau, wenn man Mutter ist. So ist es überhaupt nicht. Nur für mich war es ein Weg, meine Weiblichkeit zu entdecken.
>
> *(Jutta, 36, Journalistin)*

Das gesteigerte Gefühl von Weiblichkeit äußert sich für die Frauen vor allen Dingen in der Intensivierung ihres Gefühlslebens und in einer Gefühlserweiterung, die sich auf viele Bereiche erstrecken kann. Körperlich macht sie sich in einem positiveren Körpergefühl und / oder einer verbesserten Sexualität bemerkbar, emotional in der außerordentlichen Tiefe ihrer Gefühle für das Kind. Die Frauen fühlen sich weicher und emotionaler als früher, können Nähe besser zulassen und gegenüber anderen Menschen nachsichtiger sein.

Positiver Einfluß auf die Persönlichkeitsentwicklung

Begeistert sind viele Frauen auch über die Folgen der oben beschriebenen Gefühlserweiterung, die sich übereinstimmend positiv auf ihre Persönlichkeitsentwicklung auswirkt. Durch die Verantwortung für das Kind fühlen sich viele Frauen persönlich reifer, aber auch ausgeglichener, gelassener und optimistischer als früher. Außerdem wirkt eine ganze Menge junger Mütter gar nicht traurig darüber, daß ihre Ich-Bezogenheit durch den neuen »Star« in ihrem Leben in den Hintergrund rückte.

> Ich meine, zu zweit zu leben und sich nur um sich selber zu kümmern, ist auch nett. Aber ich finde das *[Leben mit dem Kind]* jetzt sehr wichtig, weil es mich auch weitergebracht hat. Es ist weniger egoistisch, das liegt in der Natur der Sache. Wobei egoistisch für mich eher neutral zu sehen ist. *(Michaela, 30, Außendienstmitarbeiterin)*

Dieser Reifeprozeß bringt Frauen auch berufliche Vorteile, da sie bereits vorhandene berufliche Qualifikationen wie ein gutes Zeitmanagement, gute Organisationsfähigkeit und Optimismus im Zusammenleben mit dem Kind professionalisieren können.

> Das mit diesen besonderen Qualifikationen, die Frauen durch Familie und Vereinbarkeit erwerben, das ist schon richtig. Das kann ich nur bestätigen. Wobei ich natürlich sagen muß, daß ich sie auch schon vorher hatte. Aber ich habe sie sicherlich noch ein bißchen professionalisiert. Ich bin natürlich auch sehr geprägt durch acht Jahre Aufbau einer Einrichtung und habe da Verantwortung ohne Ende. Aber dieses hundertprozentige Verlassen des Kindes auf die Mutter ist sicherlich noch mal eine Besonderheit, und daran wächst man natürlich.
> *(Carolin, 36, Geschäftsführerin)*

Positivere Lebenseinstellung

Wenn die Mutterschaft eine Frau in ihrem Weiblichkeitsgefühl bestätigt und sie in ihrer Persönlichkeitsentwicklung voranbringt, kann sie ein positiveres Lebensgefühl kaum noch vermeiden. Innere Zufriedenheit und das Gefühl, im Leben etwas erreicht zu haben, sind Kennzeichen dieser verbesserten Lebenseinstellung. Außerdem finden viele Frauen ihren Alltag, trotz Belastungen, lebendiger und bunter als früher (manchmal auch zu bunt), was ihr Lebensgefühl ebenfalls intensiviert.

> Also wenn mir einer erzählt hätte, daß ich nachts alle zwei Stunden aufstehen muß, hätte ich gesagt: »Nein, das kann ich nicht. Das geht nicht, das kann keiner.« Aber irgendwie hat man einen anderen Akku. Ich weiß nicht, wieviel Energie ich da rausziehe, aber es ist unglaublich viel. Und ich bin fast immer guter Dinge, viel optimistischer als ich früher war, viel mehr zukunftsorientiert, aufgeschlossener für Veränderungen, was früher nicht so war. *(Johanna, 38, Grafikerin)*

Erweiterter Horizont

Viele Frauen stellen fest, daß sich im Zusammenleben mit einem Kind ihre Interessen vervielfältigen und sich ihr Verhältnis zu anderen Menschen und zur Umwelt insgesamt verbessert. Sie nehmen mehr Anteil an umweltpolitischen Fragen, am politischen Tagesgeschehen und am Leben anderer Menschen, was sie als Erweiterung ihres Horizontes empfinden und genießen können.

> Ich habe früher auch die Grünen gewählt, weil ich dachte, daß es wichtig ist. Aber die Luft, die eingeatmet wird, wurde mir noch wichtiger, als ich kleine Kinder hatte. Eine menschenfreundliche Umgebung, ein menschenwürdigeres Leben, alles wurde mir wichtiger, als meine Kinder zur Welt kamen. Ich habe das Gefühl, es hat mir ein bißchen Oberflächlichkeit genommen, was ich ganz positiv finde. *(Karola, 38, Erzieherin)*

Die Mutterschaft als mystisches Erlebnis

Und wenn alle positiven Veränderungen zusammenkommen (und die negativen nicht zu vehement dazwischenfunken), dann nimmt die Mutterschaft für einige Frauen eine fast mystische Qualität an. Sie erleben die Beziehung zu ihrem Kind, die Verantwortung und die Tiefe ihrer Gefühle als völlig einzigartig und als Höhepunkt ihres Lebens.

> Daß ich eine so tiefe Liebe zu jemandem entwickeln könnte, der die ganze Zeit völlig abhängig von mir ist, das hätte ich mir vorher nicht vorstellen können. Wie das wirklich ist, kann ich irgendwie nicht gut ausdrücken, aber es ist ein richtig existentielles Gefühl. Da ist jemand von mir, natürlich auch von Markus, völlig abhängig. Er braucht mich jeden Tag, aber er liebt mich natürlich auch, und wenn Gordon mich anstrahlt – er ist eben auch ein richtiges Honigkuchenpferd –, das Gefühl kannte ich vorher nicht. Das ist etwas völlig anderes als die Liebe zu einem Partner oder zu allem, was man vorher so erlebt hat.
>
> *(Martina, 38, Lektorin)*

Diese Begeisterung besagt nicht, daß diesen Frauen Partnerschaft und Beruf weniger wichtig sind als anderen. Im Gegenteil! Alle Frauen, die sich so oder ähnlich zur Mutterschaft äußern, leben mit einem Partner zusammen und sind ganztags berufstätig. Sie mögen einwenden, es widerspreche sich, die Beziehung zum Kind als Höhepunkt des eigenen Lebens zu empfinden und gleichzeitig den ganzen Tag arbeiten zu gehen und das Kind von anderen Leuten betreuen zu lassen. Doch darin liegt ganz und gar kein Widerspruch. Vielmehr ist das eine die Folge des anderen.

Meiner Meinung nach speist sich der Enthusiasmus von Vollzeit arbeitenden Frauen mit Kindern gerade aus der Tatsache, daß diese die Belastungen des Familienlebens weitgehend verteilt haben, sie von anderen unterstützt werden und deshalb in der Lage sind, vor allem die schönen Seiten der Mutterschaft zu genießen. Dem entspricht auch die Feststellung, daß Vollzeit-Mütter ihr Leben oft als große Belastung und ihre Kinder als sehr anstrengend beschreiben. Anders als berufstätige Frauen tragen sie die familiären Belastungen allein und haben wenig Zeit und Muße, sich auf die schönen Seiten der Mutterschaft einzulassen.

Wichtig ist, daß Sie für sich das richtige Mischungsverhältnis zwischen Beruf, Familie und Partnerschaft finden. Das muß selbstverständlich nicht in jedem Fall die ganztägige Berufstätigkeit sein. Die Erfahrungen Vollzeit arbeitender Frauen sollen Ihnen lediglich zeigen, daß die persönliche Zufriedenheit einer Frau steigt, je besser die Haushaltsarbeiten und die Kinderbetreuung verteilt sind.

Die Schattenseiten

Natürlich hat die Mutterschaft bei allen positiven Veränderungen auch eine Kehrseite. Denn bei aller Begeisterung, allem Schwung und guten Willen ist ein Leben mit Kind, Partner und Job nicht spielend zu meistern. Die richtige Mischung zu finden ist für viele ein immer wiederkehrendes Problem. Die totale Verantwortung für ein Kind wird einerseits als schön erlebt, andererseits kann sie auch zur Bürde werden, die manche Frau zeitweilig gern abschütteln würde. Auch das bedingungslose Geben, gerade in der ersten Zeit, ist, bei aller Ekstase, nicht mit links zu leisten.

Das Leben mit einem Kind kostet nun einmal viel Kraft, und die läßt sich an manchen Tagen schwerer aufbringen als an anderen. Damit geht es allen Frauen gleich, denn keine Mutter kann zaubern. Allerdings fällt der Umgang mit den beschriebenen Veränderungen leichter, wenn Sie bereit sind, sie zuzulassen und sich darauf einzustellen. Auch der Kontakt zu anderen Frauen bzw. Familien mit Kindern ist eine große Hilfe bei der Bewältigung der Umstellungen. Egal, ob Sie etwas abgucken wollen, einmal richtig Dampf ablassen oder sich ausweinen müssen – diese Leute wissen, worum es geht und worauf es ankommt!

Gesellschaftliche Reaktionen auf die Mutterschaft

Während Frauen selbst meist gut in der Lage sind, die positiven und negativen Aspekte der Mutterschaft zu vereinbaren und in ihrem Leben zu integrieren, scheiden sich in ihrem Umfeld die Geister schnell und eindeutig. Im Verwandten, Freundes- und KollegInnenkreis haben Sie als Mutter zukünftig die Wahl zwischen jenen, in deren Ansehen Sie steigen, und anderen, deren Akzeptanz nachläßt. Die Mutterschaft führt auf jeden Fall zu einer Polarisierung der Außenwelt.

Größere Akzeptanz und mehr Verständnis können Sie von Menschen erwarten, die ebenfalls Kinder haben; seien es andere Mütter und Väter im Bekannten- oder Freundeskreis, KollegInnen, Vorgesetzte oder auch Verwandte (meist weibliche) wie Schwiegermutter, Mutter oder nahestehende Tanten, in deren Augen eine Tochter / Nichte durch die Mutterschaft endgültig erwachsen wird.

Negative Reaktionen dagegen äußern sich häufig in einseitigen Rollenzuschreibungen, die sich beispielsweise im Berufsleben bemerkbar machen. Wider besseres Wissen werden berufstätige Frauen mit Kindern von Vorgesetzten oder kinderlosen KollegInnen immer noch für weniger berufsorientiert gehalten, was vielen Frauen das Gefühl gibt, sich doppelt engagieren zu müssen, um in ihrem beruflichen Können wahrgenommen zu werden.

Auch im Freundeskreis sollten Sie mit Veränderungen rechnen. Das Echo der Freunde ist immer ein Stück weit abhängig von ihrem eigenen Lebensentwurf und deren Einstellung zur Kinderfrage. Freunde, die auf Ihr Familienglück auffällig verhalten reagieren, haben vermutlich selbst ganz andere Pläne und sehen mit dem Auftauchen des Kindes ein Stück gemeinsame Basis davonschwimmen.

Sie können die hier beschriebene Polarisierung nicht verhindern, aber Sie können versuchen, sich darauf einzustellen und ein wenig Distanz zu wahren. Negative Reaktionen auf die Mutterschaft beziehen sich höchstwahrscheinlich nicht auf Sie als

Person, sondern auf Ihren Status. Und wenn die entsprechenden Personen nicht bereit sind, ihren einseitigen Blickwinkel auf Sie aufzugeben, sollten Sie auf Abstand gehen.

Umgang mit Vorurteilen und Schuldgefühlen

Wie Sie bereits in Kapitel zwei erfahren haben, spukt das Ideal der allzeit bereiten, gebenden Mutter noch immer in den Köpfen der Menschen herum. Frauen, die sich daran nicht messen wollen, stoßen mit ihrem Lebensentwurf zwangsläufig immer wieder auf Vorurteile, die ihre Entscheidung in Frage stellen. Da alle Frauen, unabhängig davon, ob sie sich an traditionellen Vorstellungen orientieren oder nicht, diese Meßlatte selbst im Kopf haben, bleiben Selbstzweifel und Schuldgefühle natürlich nicht aus. Dies gilt in besonderem Maße für berufstätige Frauen mit Kindern, an denen sich die Gesellschaft mit Vorliebe abarbeitet.

Damit Sie Ihrem schlechten Gewissen auf die Pelle rücken können, möchte ich an dieser Stelle eine Expertin sprechen lassen, die tagtäglich miterlebt, wie es Kindern ergeht, die nicht den ganzen Tag von der eigenen Mutter betreut werden – eine Tagesmutter:

> Hallo, Ihr Mütter mit schlechtem Gewissen!
> Ich bin von Beruf Tagesmutter und kann aus eigener Erfahrung sagen, daß ich öfter die Mütter trösten muß als die Kinder. Was nützt euren Kindern, wenn ihr nur zu Hause sitzt und grantig seid? Gönnt euch euren Beruf und gönnt euch eure Kinder. Kein Mensch wird einen werdenden Vater fragen »und, was machst du, wenn das Kind da ist?«, aber bei der Mutter setzt man voraus, daß sie immer für ihre Kinder da ist. Ich finde das unmöglich, aber ich denke, das wird noch einige Generationen brauchen, bis sich da etwas ändert. Also kurz gesagt, versucht für eure Situation das Beste daraus zu machen, und laßt euch um Gottes willen kein schlechtes Gewissen einreden. *(Karin, Tagesmutter)*[62]

Gesellschaftlichen Vorurteilen begegnen Sie am besten mit guten Argumenten, von denen ich noch einmal einige für Sie zusammengestellt habe. Halten Sie die Schere immer griffbereit, um die alten Zöpfe abzuschneiden, wo immer Sie Ihnen begegnen:

- »Eine Mutter sollte für ihr Kind immer da sein, sonst nimmt es Schaden.«

  Diese Behauptung geht u. a. auf uralte Untersuchungen zurück, die René Spitz in den vierziger Jahren an vernachlässigten Findel- und Waisenkindern in schlecht geführten Heimen vornahm (vgl. Kapitel 2). Daß sich Ergebnisse aus derartigen Extremsituationen nicht auf stundenweise betreute Kinder übertragen lassen, die in der eigenen Familie aufwachsen, ist unumstritten.

  Schaden nehmen Kinder dann, wenn sie entweder von Müttern betreut werden, die nur aus finanziellem Druck berufstätig sind, oder die aus moralischen Gründen zu Hause bleiben, obwohl sie lieber arbeiten würden.

  Frauen, die mit ihrer Lebenssituation zufrieden sind, geben diese Zufriedenheit an ihre Kinder weiter.

- »Nur die Mutter kann ein Kind in den ersten Lebensjahren optimal betreuen. Mehrere Bezugspersonen überfordern kleine Kinder.«

  Schon kleine Babys haben Spaß daran, mit verschiedenen Menschen zusammenzusein, und können mit dieser Situation auch umgehen. Schließlich wuchsen Kinder früher auch nicht von der Außenwelt abgeschnitten auf, sondern häufig in Großfamilien, in denen Großeltern, Tanten, Geschwister und andere Menschen die Betreuung und Erziehung mit übernahmen. Es gibt inzwischen zahlreiche Untersuchungen, die belegen, daß »Kinder in Tagesbetreuung denselben Grad von Bindung an ihre Mütter und dasselbe Maß an Sicherheit wie Kinder mit Vollzeit-Müttern«[63] aufweisen. Das gilt für Säuglinge ebenso wie für Kindergartenkinder.

- »Berufstätige Mütter sind doppelt belastet und dadurch ständig überfordert, was sich negativ auf das Kind auswirkt.«

Berufstätige Mütter fühlen sich keineswegs durch Familie und Beruf überfordert, das haben medizinische Untersuchungen ergeben. Sie sind auch nicht gestreßter als Vollzeit-Mütter. Im Gegenteil! Sie haben meist ein höheres Selbstbewußtsein und äußern sich zufriedener über sich, ihre Kinder und ihre Partnerschaft. Und das hat Auswirkungen auf Kinder und Partner – nämlich positive!

Überfordert fühlen sich Frauen dann, wenn sie für *alles* allein verantwortlich sind und weder im Haushalt noch bei der Kinderbetreuung von anderen ausreichend unterstützt werden. Das kann Alleinerziehende betreffen, aber auch Vollzeit-Mütter und berufstätige Frauen, deren Partner sich nicht genügend an der Familienarbeit beteiligen.

- »Berufstätige Mütter sind sowieso die Hälfte der Zeit mit den Gedanken bei ihren Kindern. Da können sie auch gleich zu Hause bleiben.«

  Ganz große Fehlanzeige! Die Kinder von berufstätigen Frauen sind manchem Chef und mancher wohlmeinenden Frauenzeitschriftredakteurin gegenwärtiger als der Mutter am Schreibtisch. Nur so läßt sich erklären, warum Kinder immer noch als Karrierehemmnis angesehen werden, obwohl berufstätige Frauen mit Kindern erwiesenermaßen über ein hohes Maß an Motivation, Organisationstalent, Belastbarkeit und sogenannten Schlüsselqualifikationen wie Teamfähigkeit, Eigenverantwortlichkeit und sozialer Kompetenz verfügen, die in der heutigen Arbeitswelt so unerläßlich sind. Im Grunde müßten sich Arbeitgeber also nach qualifizierten und streßerprobten Frauen mit Kindern die Finger lecken!

Zu guter Letzt

Von allen Glückwunschkarten, die mein Mann und ich zur Geburt unserer Tochter erhielten, hat eine bei mir einen ganz besonderen Eindruck hinterlassen. Es war eine schlichte blaue Karte, auf die eine Freundin geschrieben hatte: »Nie mehr allein!« Diese drei kleinen Worte weckten schon damals eine dunkle Ahnung in mir. Heute hat sich diese Ahnung erfüllt, und unser Leben hat sich stärker verändert, als ich es mir je hätte vorstellen können. Einige dieser Veränderungen sind:

- Selbst wenn sie schon dreißig Jahre am gleichen Ort wohnen, müssen frischgebackene Eltern ihr Umfeld dennoch völlig neu entdecken. Welche Wege eignen sich für den Kinderwagen? In welchen Geschäften kann ich mein Kind wickeln? Wo gibt es eigentlich Kinderklamotten? In welchen Läden bleibe ich nicht mit dem Kinderwagen stecken, und in welche Verkehrsmittel komme ich mit demselben ohne Hilfe rein? Mit der Elternbrille auf der Nase werden Sie schon nach wenigen Tagen das Gefühl haben, in einer fremden Umgebung zu leben, die Sie ganz neu erkunden müssen.
- Die Elternschaft eröffnet vielen neue Themen und Interessensgebiete, von denen sie sich früher womöglich nie berührt fühlten. Viele Eltern geben an, daß ihre Wahrnehmung sich verändert und beispielsweise die Qualität ihres Lebensumfeldes, ihrer Nahrung und Kleidung, für sie eine ganz andere Bedeutung gewonnen hat.
- Verabredungen, spontane Einfälle, wichtige Termine … Nichts geht mehr ohne Absprachen, Regelungen und die Hilfe anderer. Die Abhängigkeit von anderen Menschen wird mit Kind wesentlich stärker, auch die Abhängigkeit vom Partner! Auch daran müssen Sie sich erst gewöhnen.
- Urlaub! Wohin können wir als Familie überhaupt fahren? Wohin kann ich ein schreiendes, bockendes Kind mitnehmen, ohne daß mir ständig der Schweiß auf der Stirn steht? Und welche Urlaubsziele haben allen etwas zu bieten – Großen und Kleinen? Schließlich ist es nicht damit getan, daß Ihr Sprößling stundenlang zufrieden im Sand buddelt, wenn Sie sich dabei langweilen und lieber ins Museum gehen oder auf Berge kraxeln würden.
- Paare mit Kind können bei wichtigen Entscheidungen nicht mehr nur an sich selbst denken. Bei allem, was sie tun, müssen sie von nun an für das Kind mitdenken.

- Paare mit Kindern sind tatsächlich nie mehr allein. Dafür müssen sie schon explizit sorgen. In den eigenen vier Wänden einmal zu zweit oder gar für sich zu sein, bekommt absoluten Seltenheitswert. Eine gewöhnungsbedürftiger Umstand.

Die Liste der Veränderungen ließe sich beliebig fortführen. Das wichtigste daran ist jedoch die Erkenntnis, daß Sie diesen Veränderungen nicht hilflos ausgeliefert sind, sondern sie gestalten und ausfüllen können. Wenn Sie etwas dafür tun! Ohne eigenes Zutun ist die Gefahr groß, von den Ereignissen überrollt zu werden, im Berufsleben ebenso wie im Privatleben. Vergessen Sie nicht, daß nichts von allein besser wird, höchstens schlechter! Und verlieren Sie bei aller Liebe zum Kind weder sich selbst noch Ihre Partnerschaft aus den Augen. Pflegen Sie sich, allein und gemeinsam, und machen Sie Selbstpflege und Beziehungspflege zu ebenso selbstverständlichen Bestandteilen Ihres Lebens wie Kind und Beruf. Treffen Sie Vorbereitungen und Absprachen und bestehen Sie auf deren Einhaltung.

Aber vor allen Dingen: Überfordern Sie sich nicht! Erobern Sie das neue Terrain Schritt für Schritt, lassen Sie sich dabei helfen und lassen Sie es langsam angehen. So wie die Schwangerschaft ihre Zeit dauert, sollten auch Sie sich Zeit lassen, in die Mutterrolle hineinzuwachsen, damit Sie nicht unbemerkt aus Ihren anderen Rollen herausrutschen.

Nicht nur die Geburtswehen wollen langsam veratmet werden, sondern auch das neue Leben mit dem Kind! Denken Sie immer daran: Ein Leben mit Kind, Beruf und Partner zu schaffen ist nicht das Problem; aber es zu schaffen und dabei Spaß zu haben, das ist das Kunststück und das Ziel!

Anmerkungen

1 Adelheid Gliedner-Simon, Mechthild Jansen: *Kinder, Küche und Karriere*, Pfaffenweiler 1995, S. 7

2 Peter Gluchowski, Christine Henry-Huthmacher: *Weibliche Lebensstile in West- und Ostdeutschland*, Interne Studie der Konrad Adenauer-Stiftung Nr. 140 / 1998

3 Siehe dazu Bettina Paetzold: *Eines ist zu wenig, beides macht zufrieden*, Bielefeld 1996, S. 225 ff.

4 ebd., S. 227 f.

5 Bundesinstitut für Bevölkerungsforschung, Demographische Lage 1997

6 Statistisches Bundesamt, Gruppe VIII C, Mikrozensus 1998

7 Carin Rubenstein: *Wenn Mütter zu sehr lieben*, Frankfurt am Main 1999, S. 86 f.

8 Studie von Paul Zulehner, Ludwig-Boltzmann-Institut, Wien, und Rainer Volz, Sozialwissenschaftliches Institut der Evangelischen Kirche in Deutschland (EKD), zitiert nach Frankfurter Rundschau, 12. November 1998

9 Regine Schneider, *Gute Mütter arbeiten*, Frankfurt am Main 1995, S. 42 f.

10 *http://www.freundin.de, Sieben typische Fallen, die berufstätige Mütter unbedingt vermeiden sollten*, April 1999

11 Adelheid Gliedner-Simon, Mechthild Jansen, a. a. O. S. 6

12 ebd., S. 6

13 Cosmopolitan, 4 / 1998

14 Gunhild Gutschmidt: *Kein Kind um jeden Preis*, Frankfurter Rundschau vom 10. Oktober 1998

15 *http://www.kidnet.de*, Gesprächsforum zum Thema: *Schadet Kindern die Berufstätigkeit der Mutter*, März 1999

16 Statistisches Bundesamt, Gruppe VIII B, April 1998

17 Siehe dazu Elisabeth Beck-Gernsheim: *Mutterwerden – Der Sprung in ein anderes Leben*, Frankfurt am Main 1989, S. 50 ff.

18 Bettina Paetzold, a. a. O., S. 225 f.

19 Shari Thurer: *Mythos Mutterschaft*, München 1995, S. 320

20 Peter Erath: *Wieviel Mutter braucht ein Kind?*, Genf 1994, S. 37

21 Benjamin Spock: *Säuglings- und Kinderpflege*, in dieser Form unverändert bis 1976. Zitiert nach Elisabeth Beck-Gernsheim, a. a. O., S. 135

22 Statistisches Bundesamt, Gruppe VIII C, Mikrozensus 1998

23 Ein Standardwerk zur Bindungstheorie ist: *Der erste Bund fürs Leben*, von Marshall H. Klaus, John H. Kennell und Phyllis H. Klaus, Reinbek bei Hamburg 1997

24 Carin Rubenstein: *Wenn Mütter zu sehr lieben*, Frankfurt am Main 1999, S. 158

25 Ulrich Diekmeyer: *Das Eltern Buch 1*, Reinbek bei Hamburg 1973, überarb. Ausgabe 1992, S. 157

26 Öko-test, Mai 1988, zitiert nach Elisabeth Beck-Gernsheim, a. a. O., S. 139

27 Shari Thurer, a. a. O., S. 18

28 Sandra Scarr, *Wenn Mütter arbeiten*, München 1987, S. 74 f.

29 Peter Erath, a. a. O., S. 185

30 Vgl. Elisabeth Beck-Gernsheim, a. a. O., S. 28

31 Maureen Freely: *Kinder, Job und jede Menge Leben*, Dortmund 1997, S. 26

32 Zitiert wird hier der Sozialpädagoge und Paartherapeut Stefan Kaven. In: Regine Schneider, Bettina Stülpnagel: *Will ich wirklich ein Kind?*, Freiburg 1995, S. 89 f.

33 ebd., S. 90

34 Hermann Bullinger: *Wenn Paare Eltern werden*, Reinbek bei Hamburg 1986, S. 43

35 Falls Sie sich durch dieses Kapitel in Ihrem Kinderwunsch verunsichert fühlen, finden Sie wertvolle Hilfe zur Entscheidungsfindung bei Regine Schneider und Bettina Stülpnagel.

36 Eurobarometer 39 von 1993, Bundesinstitut für Bevölkerungsfragen (BIB)

37 Unbedingt besorgen sollten Sie sich die Broschüre des Bundesministeriums für Familie, Senioren, Frauen und Jugend zu den Themen Erziehungsgeld und Erziehungsurlaub, Unterhaltsvorschuß und Mutterschutzgesetz. Die Adresse finden Sie im Anhang.

38 Vgl. Peter Erath, a. a. O., S. 84–89

39 ebd., S. 128 f.

40 Angelika Wetterer: *Rhetorische Präsenz – faktische Marginalität. Zur Situation von Wissenschaftlerinnen in Zeiten der Frauenförderung*, In: Zeitschrift für Frauenforschung, Heft 1+2/94, Bielefeld 1994, S. 106

41 LBS-Initiative Junge Familie (Hrsg.): *Vereinbarkeit von Familie und Beruf. Eltern vor neuen Herausforderungen*, Weinheim 1994, S. 44

42 Weitere Buchtips zur Frage nach der richtigen Kinderbetreuung finden Sie im Anhang.

43 Gertrud Teusen: *Das erste Kind verändert alles*, Niedernhausen 1995, S. 17 f.

44 Hermann Bullinger, a. a. O., S. 108
45 *http://www.kidnet.de*, Kidnetforum, Thema: *Langeweile*, Beitrag vom 3. Februar 1999
46 Salis, Bettina: *Wenn die rosa Brille zerbricht*, Frankfurter Rundschau, 24. April 1999
47 Carin Rubenstein, a. a. O., S. 115
48 Hermann Bullinger, a. a. O., S. 48
49 ebd., S, 156ff.
50 ebd., S. 43f.
51 ebd., S. 129
52 Steve Biddulph: *Das Geheimnis glücklicher Kinder*, München 1994, S. 134f.
53 ebd., S. 135
54 Carin Rubenstein, a. a. O., S. 112
55 ebd., S. 115
56 ebd., S. 134
57 ebd., S. 31
58 ebd., S. 139
59 ebd., S. 187
60 Hermann Bullinger, a. a. O., S. 162
61 Ute Ehrhardt: *Gute Mädchen kommen in den Himmel, böse überall hin*, Frankfurt am Main 1994, S. 38
62 *http:/www.kidnet.de,* Internet-Gesprächsforum zum Thema: A*rbeiten wollen, aber ein schlechtes Gewissen!*, 3. März 1999
63 Sandra Scarr: a. a. O., S. 28

Quellen

Beck-Gernsheim, Elisabeth: *Mutterwerden – Der Sprung in ein anderes Leben*, Frankfurt am Main 1989

Biddulph, Steve: *Das Geheimnis glücklicher Kinder*, München 1994

Bullinger, Hermann: *Wenn Paare Eltern werden*, Reinbek bei Hamburg 1986

Deutscher Arbeitskreis für Familienhilfe e.V. (Hrsg.): *Erziehungsgehalt 2000*, Bonn 1998

Erath, Peter: *Wieviel Mutter braucht ein Kind?*, Genf 1994

Figes, Kate: *Babyblues. Was Ihnen selbst Ihre beste Freundin nie übers Muttersein verraten würde*, Frankfurt am Main 1999

Freely, Maureen: *Kinder, Job und jede Menge Leben*, Dortmund 1997

Gliedner-Simon, Adelheid / Jansen, Mechthild: *Kinder, Küche und Karriere. Wie manage ich Familie und Beruf?*, Pfaffenweiler 1995

Gluchowski, Peter / Henry-Huthmacher, Christine: *Weibliche Lebensstile in West- und Ostdeutschland*, Interne Studie der Konrad Adenauer-Stiftung Nr. 140 / 1998

Paetzold, Bettina: *Eines ist zu wenig, beides macht zufrieden*, Bielefeld 1996

Rubenstein, Carin: *Wenn Mütter zu sehr lieben. Kinder erziehen, ohne sich selbst aufzugeben*, Frankfurt am Main 1999

Scarr, Sandra: *Wenn Mütter arbeiten*, München 1987

Schneider, Regine / Stülpnagel, Bettina: *Will ich wirklich ein Kind?*, Freiburg 1995

Schneider, Regine: *Gute Mütter arbeiten. Ein Plädoyer für berufstätige Frauen*, Frankfurt am Main 1997

Thurer, Shari: *Mythos Mutterschaft*, München 1995

Wetterer, Angelika: *»Rhetorische Präsenz – faktische Marginalität. Zur Situation von Wissenschaftlerinnen in Zeiten der Frauenförderung«*, In: Zeitschrift für Frauenforschung, Heft 1+2 / 94, Bielefeld 1994

LBS-Initiative Junge Familie (Hrsg.): *Vereinbarkeit von Familie und Beruf. Eltern vor neuen Herausforderungen*, Weinheim 1994

Teusen, Gertrud: *Das erste Kind verändert alles*, Niedernhausen 1995

Lesetips

Thema: **Alleinerziehen**

Oberloskamp, Helga: *Ich erziehe mein Kind allein*, München 1993; 19,90 DM

Weikert, Annegret: *Der Ratgeber für Alleinerziehende*, München 1998; 29,90 DM

Verband alleinerziehender Mütter und Väter, Bundesverband e.V. (Hrsg.): *Alleinerziehend. Tips und Informationen* (Das Taschenbuch ist beim VAMV gegen Einsendung von Rückporto kostenlos erhältlich)

Thema: **Berufstätige Mütter**

Erath, Peter: *Wieviel Mutter braucht ein Kind?*, Genf 1994; 33,00 DM

Schneider, Regine: *Gute Mütter arbeiten. Ein Plädoyer für berufstätige Frauen*, Frankfurt am Main 1997; 16,90 DM

Thema: **Erziehungsgeld, Erziehungsurlaub**

Bundesministerium für Familie, Senioren, Frauen und Jugend, (Hrsg.): *Erziehungsgeld, Erziehungsurlaub* (Die Broschüre kann kostenlos beim BMFSFJ angefordert werden)

Thema: **Kinderbetreuung**

Sommerfeld, Verena: *Babysitter, Tagesmutter, Krippe ...*, Reinbek bei Hamburg 1997; 14,90 DM

Erath, Peter: *Abschied von der Kinderkrippe*, Freiburg 1992; 30,00 DM

Thema: **Kinderwunsch**

Schneider, Regine / Stülpnagel, Bettina: *Will ich wirklich ein Kind?*, Freiburg 1995; 28,00 DM

Thema: **Partnerschaft – Elternschaft**

Bullinger, Hermann: *Wenn Paare Eltern werden*, Reinbek bei Hamburg 1986; 12,90 DM

Thema: **Schuldgefühle & weiblicher Aufopferungsdrang**

Rubenstein, Carin: *Wenn Mütter zu sehr lieben. Kinder erziehen, ohne sich selbst aufzugeben*, Frankfurt am Main 1999; 32,00 DM

Thurer, Shari: *Mythos Mutterschaft*, München 1995; 16,90 DM

Nützliche Adressen

Berufliche Beratung:
Verein Berufstätiger Mütter e.V. (vbm)
Annostraße 27–33
50678 Köln
Tel. 0221–326579
Internet: *http://www.is-koeln.de/vbm*

Hessisches Mütterbüro/Mütterzentrum Langen
Bahnstraße 39
63225 Langen
Tel. 06103–28234
Fax 06103–24472

Informationen und Beratung für werdende Eltern:
Deutscher Familienverband
Argelander Straße 71
53115 Bonn
Tel. 0228–241040
Fax 0228–241043

Bundesarbeitsgemeinschaft Familienbildung und Beratung e.V.
Hamburger Straße 137
25337 Elmshorn
Tel. 04121–438063
Fax 04121–438064

Pro Familia – Deutsche Gesellschaft für Sexualberatung und Familienplanung
Stresemannallee 3
60596 Frankfurt am Main
Tel. 069–639002
Fax 069–639852
e-mail: *profa@t-online.de*

Interessenverbände / Netzwerke:
Schöne Aussichten – Verband selbständiger Frauen e.V.
Gereonshof 36
50670 Köln
Tel. 02 21 – 1 39 35 39
Fax 02 21 – 1 39 35 40

Verband deutscher Unternehmerinnen (VdU)
Gustav-Heinemann-Ufer 94
50968 Köln
Tel. 02 21 – 37 50 74
Fax 02 21 – 34 31 71

Fragen zu Erziehungsgeld, Erziehungsurlaub:
Bundesministerium für Familie, Senioren, Frauen und Jugend
Rochusstraße 8 – 10
53123 Bonn
Tel. 02 28 – 9 30 – 0
Fax 02 28 – 9 30 – 22 21
Broschürenstelle Tel. 01 80 – 5 32 93 29
Internet: *http://www.bmfsfj.de*

Kinderbetreuung:
Mütterzentren Bundesverband e.V.
Müggenkampstraße 30A
20257 Hamburg
Tel. 0 40 – 40 17 06 06
Fax 0 40 – 4 90 38 26

Tagesmütter Bundesverband zur Kinderbetreuung in Tagespflege
Breite Straße 2
40670 Meerbusch
Tel. 0 21 59 – 13 77
Fax 0 21 59 – 20 20

Au-pair-Vermittlung: Verein für Internationale Jugendarbeit e.V.
Goetheallee 10
53225 Bonn
Tel. 02 28 – 69 89 52
Fax 02 28 – 69 41 66

Notmütterdienst
Sophienstraße 28
60487 Frankfurt am Main
Tel. 069–776611 oder 97074774
Fax 069–779083

Die Anschriften der Träger von Kinderbetreuungseinrichtungen erfahren Sie auf Ihrem örtlichen Jugendamt.

Rat und Hilfe für Alleinerziehende:
Verband alleinerziehender Mütter und Väter, Bundesverband e.V.
Beethovenallee 7
53173 Bonn
Tel. 0228–352995
Fax: 0228–358350

Hilfe bei Symptomen einer postpartalen Depression (PPD):
Verein Schatten und Licht – Krise nach der Geburt e.V.
c/o Bianca Dietrich
Postfach 1106
67355 Lingenfeld

Diskussions- und Infoforen im Internet:
http://www.kidnet.de
http://www.kinder.de
http://www.babyzimmer.de

Erkundigen Sie sich bei den aufgeführten Dachverbänden nach den Adressen regionaler Gruppen.